بِٹّا

ٹِبّا

ناولٹ

خالد فتح محمد

سانجھ

کتاب کا نام :	ٹبّا
مصنف :	خالد فتح محمد
سرِ ورق :	سعید ابراہیم
سالِ اشاعت :	اگست 2011ء
تعداد :	500
قیمت :	180 روپے
پرنٹر :	شاہ محمد شاہ پرنٹرز، لاہور۔

ISBN: 978-969-593-034-2

سانجھ
SANJH
PUBLICATIONS

ٹک سٹریٹ 46/2 مزنگ روڈ، لاہور
فون: 042-37355323 فیکس: 042-37323950
ای میل: sanjhpk@yahoo.com, sanjhpks@gmail.com
ویب سائٹ: www.sanjhpublications.com

اپنے تایا

چودھری علی حسین خاں

کی یاد میں!

۷

O

ڈرائیور دروازہ کھولتا ہے تو میں مشکل سے کار سے باہر نکلتا ہوں۔

میں نے اِرد گرد نظر دوڑاتا ہوں تو ہر چیز مجھے اجنبی سی لگتی ہے۔ میں بھول چکا تھا کہ میں ساٹھ سال بعد اِس جگہ کو دوبارہ دیکھ رہا ہوں۔ سامنے ٹیلے پر گھر' اُتنا پر شکوہ نہیں ہے۔ شاید اُتنا ہی پرشکوہ ہو لیکن میں زِندگی میں بہت کچھ دیکھ چکا ہوں' اِس لیے مجھے اُس میں وہ دبدبہ نظر نہیں آ رہا۔ مجھے ٹبّا' اُتنا اُونچا نہیں لگتا جتنا کہ ساٹھ برس پہلے لگا تھا۔ گھر کا زردی مائل سفید رنگ' اَب خاکستری ہو چکا ہے اَور میں دُور سے اُس میں بڑھاپے کی دراڑیں دیکھ سکتا ہوں۔ ٹبّے کی ڈھلان کے اِختتام پر بطخوں کے لیے ایک جوہڑ تھا جسے گرمیوں اَور سردیوں میں پمپ کے ذریعے بھرا جاتا تھا اَور اُس میں ہر وقت بطخیں تیرا کرتی تھیں۔ مجھے وہاں پمپ نظر نہیں آ رہا۔ جوہڑ خشک ہے اَور اُس کی تہ' تھال میں رکھی برفی کے مانند ٹکڑیوں میں بٹی ہوئی ہے...... وہاں بطخیں کیسے ہو سکتی ہیں!

چار دیہات میرے خاندان کی ملکیت تھے اَور یہ گھر سارے رقبے کے درمیان ایک جزیرے کی طرح تھا۔ جب میں یہاں رہا کرتا تھا' زندگی کی اپنی پیچیدگیاں تھیں۔ سال میں چار مرتبہ گوجرانوالہ شہر سے کپڑے' ونا سپتی گھی اَور دیگر ضروریاتِ زندگی' جنھیں زمین مہیا نہیں کرتی تھی' تانگے میں لائی جاتیں...... تانگہ صبح کو نکلتا تو رات گئے واپس آتا۔ گھوڑا پسینے میں شرابور ہوتا اَور سردیوں میں اُس کے پٹّھوں اَور کمر کے جھاگ سے دُھواں اُٹھ رہا ہوتا۔

چھے گھنٹوں کا سفر آج میں نے صرف چالیس منٹ میں طے کیا ہے۔ یہ چالیس منٹ بہت تکلیف دہ تھے۔ مجھے لگ رہا تھا کہ میں کسی اجنبی ملک میں آ گیا ہوں، کوئی چیز بھی دیکھی بھالی نہیں لگتی۔

میں وہیں سے چلا جہاں تانگہ اِنتظار کیا کرتا تھا۔ گھنٹہ گھر سے گزرنے کے بعد ایک نہر آتی تھی اور پھر دائیں طرف ایک گرجا ہوا کرتا تھا جس کے بعد گوجرانوالہ کی آبادی تقریباً ختم ہو جاتی۔ آگے لدھے والا وڑائچ تک کوئی بستی نہیں تھی...... یہ گاؤں زیادہ چھوٹا تھا نہ زیادہ بڑا...... اِس کی اکثریت حافظ آباد جانے والی سڑک کے جنوب میں آباد تھی۔ سڑک کے شمال میں چند گھروں کے سوا کوئی رہائشی عمارت نہیں تھی۔ یہ سڑک دُہرے ٹریفک کے لیے موزوں نہیں تھی۔ حافظ آباد کو آپریٹو سوسائٹی، گوجرانوالہ اور حافظ آباد کے درمیان، سفری سہولت میسر کرنے والا واحد ادارہ تھا۔ اِس کی لاری دِن میں دو یا تین چکر لگاتی۔ یہ لاری، گوندلاں والا چوک سے چلا کرتی؛ مسافروں کو ٹکٹ یا سیٹ حاصل کرنے میں کافی زحمت اُٹھانا پڑتی۔ لوگ زیادہ تر تانگے میں سفر کرنے کو ترجیح دیتے۔ گو حافظ آباد تک تانگہ میسر نہیں ہوتا تھا لیکن تین چار جگہوں پر تانگہ تبدیل کر کے سفر جاری رکھا جا سکتا تھا۔

لدھے والا وڑائچ کے بعد ہردو پور تک سڑک بے آباد تھی۔ اِس علاقے میں سفر کرتے ہوئے دِن کو بھی خوف سا محسوس ہوتا۔ اکثر سننے میں آتا کہ راتوں کو اِکا دُکا وارداتیں ہو جاتی ہیں۔ ہردو پور سے تھوڑا پہلے بیریوں کا ایک چھوٹا سا باغ تھا...... یہ پیوندی ہوئی بیریاں تھیں اور اِن کی ٹہنیاں، سائبان بناتے ہوئے، زمین کو چھو رہی ہوتیں۔ باغ کے پاس سڑک پر ایک چوبچّا بنا ہوا تھا جسے نل کے ذریعے بھرا جاتا...... یہاں گھوڑوں کو پانی پلایا جاتا اور مسافر نیچے اُتر کر اپنی ٹانگیں سیدھی کرتے۔ ہم ہمیشہ معراج جولاہے کے تانگے میں سفر کرتے۔ وہ ہر بار، امرتسر سے بچ کے آنے کا قصہ سناتا۔ اُس کے گھوڑے کا رنگ مشکی اور بدن چھریرا تھا۔ وہ کنوتیاں کھڑی کرتا تو اگلے حصے، قوس بناتے ہوئے، آپس میں مل جاتے۔ اُس کی گامچیاں مضبوط اور لچک دار تھیں۔ گھٹنوں

سے اُوپر چاروں ٹانگوں کے پٹھے' گھوڑے کی طاقت کو ظاہر کرتے تھے۔ معراج بتاتا کہ وہ امرتسر کی بستی کٹڑہ مہاں سنگھ سے نکلا تو اُس پر سکھوں کے ایک جتھے نے حملہ کر دیا۔ تانگہ اُس کے گھر کے اَفراد سے لدا ہوا تھا۔ اُس نے گھوڑے کو کبھی چابک نہیں مارا تھا لیکن جب سکھوں نے تانگے پر دھاوا بولا تو اُس نے گھوڑے کو پے در پے چابک مارے۔ گھوڑا خطرے کی بُو سُونگھ کر سرپٹ بھاگ نکلا۔ وہ بتاتا کہ گھوڑے کو دو ہی حالتوں میں سرپٹ بھگاتے ہیں: ایک' جب کسی گھوڑے کو ہرا کر مقابلہ جیتنا ہو اَور دوسرے' دُشمن سے بچنے کے لیے!

تانگے میں جتے گھوڑے کا سرپٹ بھاگنا بہت خطرناک تھا لیکن معراج کو تانگہ اُلٹ جانے کا بھی خوف نہیں تھا۔ دو سکھوں کے پاس گھوڑے تھے۔ وہ معراج کے تانگے کا تعاقب کرنے لگے۔ اُن میں سے ایک نے تانگے کے برابر آ کر پائیدان پر بیٹھے معراج پر برچھی سے وار کر دیا۔ پہلا وار خالی گیا مگر دُوسرا' اُس کی پسلی میں لگا۔ یہاں معراج' زخم کا نشان دِکھانے کے لیے' قمیص اُٹھاتا مگر کسی کو وہ زخم نظر نہ آتا۔ وہ کہانی کو جاری رکھتے ہوئے بتاتا کہ اُس کے جسم سے خون بہتا رہا لیکن نہ تو اُس نے گھوڑے کو روکا اَور نہ ہی گھوڑا کہیں رُکا...... وہ بے ہوش ہو گیا تو اُس کی بیوی نے لگام تھام لی۔ گھوڑا' پانی پینے کے لیے' چوبچے پر رُکا تو اُسے طبی اِمداد دی گئی۔ کسی نے بتایا کہ تھوڑے فاصلے پر قلعہ دیدار سنگھ ہے جہاں اُسے ڈاکٹر میسر آ جائے گا۔ چنانچہ معراج قلعہ دیدار سنگھ میں مستقل طور سے آباد ہو گیا...... اُس کی کہانی ہمیشہ اِسی چوبچے سے شروع ہوتی اَور گوجرانوالہ سے واپس آتے ہوئے اِسی مقام پر ختم ہوتی۔

ہردوپور مجھے ہمیشہ پراَسرار سا لگتا۔ گاؤں میں چند پکے چوبارے تھے جو سڑک سے مجھے بہت مرعوب کرتے۔ اُن کی اِینٹوں کی رنگت اُڑی ہوئی تھی؛ اِینٹوں کی ساخت اَور چوباروں کی تعمیر کا نقشہ زیادہ پرانا نہیں تھا مگر وہ قدامت کا غرور لیے ہوئے تھے۔ چوباروں سے مغرب کی طرف ایک برگد کا پیڑ تھا جس کی ڈاڑھی اَور پھیلاؤ' اُس کی عمر کی چغلی کھا رہا تھا۔ اِس برگد سے ہٹ کر ایک اَور برگد بھی تھا جو اُس جیسا بڑا اَور گھنا نہیں تھا۔ گرمی کے موسم میں لوگ بڑے برگد کے

نیچے بیٹھتے اور چھوٹے برگد کے نیچے مویشی بندھے ہوتے!

میں جب ہردوپور پہنچا تو وہاں رُک کر گاؤں اور اُس کے غیر مانوس چوفیرے میں سے مانوس چیزیں ڈھونڈنے لگا۔ مجھے ایک برگد نظر آیا۔ چوبارے' دُوسری کئی عمارتوں کے عقب میں کہیں چھپ گئے تھے۔ میں نے بیریوں کے باغ کا پوچھا تو ایک طرف غیر یقینی سا اِشارہ کیا گیا جہاں ایک ''ایگری مال'' میری طرف دیکھ رہا تھا۔ میں خاصا مایوس ہوا۔ بیریوں کا باغ اور چوبچّا میرے بچپن کی یادوں کے امین تھے۔ شاید آبادی یا ایک غیر مدلل تہذیب کا جن ّ اُنھیں ہڑپ کر کے مجھے برہنہ کر گیا...... میری آنکھوں میں گئے دِنوں کی یادوں کا نقشہ' اچانک تحلیل ہونا شروع ہو گیا اور اُن کی جگہ آج کی بربادی کے آنسو تھے۔

ہردوپور سے تھوڑا آگے چلنے کے بعد اُگوچک آتا تھا۔ پچھلے راستے کی طرح' اُگوچک تک بھی سڑک ویران تھی۔ مجھے اُگوچک کے بیچ' ایک جوہڑ میں کھلے ہوئے کنول یاد تھے۔ میں اِس گاؤں کو پہچاننے کے لیے جوہڑ اور اُس میں کھلے ہوئے کنول ڈھونڈ رہا تھا۔ مجھے اِس گاؤں سے کوئی خاص نسبت نہیں تھی' تانگہ بس یہاں سے گزرا کرتا تھا۔ اُگوچک کے بعد ایک چھوٹا سا سوآ تھا جس کی پٹڑی پر ٹاہلی کے گھنے درخت ہوا کرتے تھے۔ وہ درخت پانی کی طرف جھکے ہوتے اور لگتا کہ وہ اُپنے سایے سے اُسے اپنی حفاظت میں لیے ہوئے ہیں' مگر اَب یہاں چند خمیدہ' خشک سی ٹاہلیاں کھڑی تھیں۔ کہا گیا کہ ٹاہلیوں کو فرنیچر بنانے والوں اور ایک لاعلاج وائرس نے ناقابلِ تلافی نقصان پہنچایا ہے۔ سڑک پر بھی ٹاہلیاں ہوا کرتی تھیں جو اَب خال خال ہی بچی تھیں۔

سوئے سے قلعہ دیدار سنگھ تک سڑک پھر ویران تھی۔ آج جب سوآ پار کیا تو قلعہ دیدار سنگھ شروع ہو گیا۔ مضافات' غیر متناسب اور بھدّے تھے...... جہاں کسی کو جگہ ملی یا جہاں کسی کا دِل چاہا' اُس نے گھر یا دُکان بنالی' یہ سوچے بغیر کہ اِس سے قلعہ دیدار سنگھ اَیسے فنِ تعمیر کے نمونے کی خوب صورتی مسخ ہو کر رہ جائے گی۔ شاید اَب خوب صورتی کا معیار' بدصورتی کو بڑھاوا دینے میں ڈھل گیا ہے یعنی چوفیرا جس قدر بدصورت ہوگا' شہروں کی خوب صورتی میں اُسی قدر اضافہ نظر آئے گا!

قلعہ دیدار سنگھ ہمارے لیے ایک سفر کا اِختتام اَور دُوسرے سفر کا آغاز تھا۔ یہاں تانگہ تبدیل کیا جاتا۔ اَب قلعہ دیدار سنگھ سے باہر بائی پاس بن گیا ہے اَور قصبہ اُس کے ساتھ ساتھ آباد ہو گیا ہے۔ ایک بس سواری کو اُتارنے یا چڑھانے کے لیے رُکتی ہے تو اُس کے پیچھے بسوں، کاروں، ٹرکوں اَور ٹرالوں وغیرہ کی قطار لگ جاتی ہے۔ اُس وقت بائی پاس تعمیر نہیں ہوا تھا۔ حافظ آباد کوآپریٹو سوسائٹی کی لاری اَور تانگے، بڑے بازار میں سے گزرا کرتے تھے۔ سواریاں، پولیس سٹیشن کے پاس اُتر جاتیں اَور بازار میں سے ہوتے ہوئے، تانگوں کے دُوسرے اَڈے پر پہنچ جاتیں جہاں سے اُنھیں اگلی منزل کو جانا ہوتا۔ ہم لوگوں کو خصوصی رعایت تھی کہ ہم تانگے ہی میں بیٹھے بیٹھے، دُوسری طرف جاتے۔ بازار میں سے گزر رہے ہوتے تو لوگ ہمیں عجیب عجیب نظروں سے دیکھا کرتے۔ میں اُس وقت اُن نظروں کو پہچان نہیں سکتا تھا مگر کافی عرصے بعد احساس ہوا کہ وہ ہمارے خاندانی معاملات کی وجہ سے ہمیں یوں حیران اَور پرتجسس نظروں سے دیکھا کرتے تھے۔

قلعہ دیدار سنگھ اُس وقت ایک چھوٹا سا قصبہ تھا۔ یہاں بلندو بالا، عالی شان رہائشی گھر تھے جو ذہنوں پر ایک ہیبت طاری کر دیتے۔ یہ قصبہ، نئی اُبھرتی اشرافیہ کے لیے ایک کشش رکھتا تھا۔ اِرد گرد کے دیہات سے، چھوٹی مالکی والے مہاجر زمین دار اِس کی طرف کھنچنا شروع ہو گئے۔ یہاں ہندوؤں سکھوں کے خالی مکانوں کی بھرمار تھی، جن پر نئے آنے والے لوگ جعلی کلیموں اَور دیگر ناجائز ذرائع سے قبضہ کر رہے تھے اَور ساتھ آئی بے سروسامانی کو دُور کرنے کے درپے تھے۔

بازار کے دُوسری طرف سائیں جوت کا دائرہ تھا۔ اُس دائرے کے پاس تانگوں کا اَڈا تھا۔ ہم وہاں اُترتے تو سامان، دُوسرے تانگے میں منتقل ہو جاتا۔ چونکہ ہمیں سالم تانگے میں جانا ہوتا، اِس لیے کوچوان دُوسری سواریوں کا اِنتظار نہ کرتا۔ دُوسرے تانگے بعض اَوقات دِن کے غروب ہونے کے بعد چلتے...... کوچوان کو پتا ہوتا تھا کہ صبح کون کہاں گیا تھا اَور اُسے کس کس کو واپس لے جانا ہے!

اَڈے سے چلنے کے بعد، دائیں طرف ہائی سکول پڑتا تھا۔ سکول کی نمایاں خصوصیت، اُس

کے وسیع میدان تھے جہاں شام کے وقت، جب ہم واپس آ رہے ہوتے، لڑکوں کا ہجوم کئی کھیلوں میں مصروف ہوتا۔ وہاں میلے کا سا سماں ہوتا۔ سڑک پر گالی گلوچ اَور قہقہے سنے جاسکتے۔ وہاں سے گزرتے ہوئے، ہمیشہ خواہش ہوتی کہ تانگہ آہستہ چلے تا کہ کھیلوں کا زیادہ سے زیادہ نظارہ کیا جا سکے لیکن اَیسا کبھی نہ ہوتا کہ تازہ دم گھوڑے کی دُلکی چال خاصی تیز ہوتی۔ سکول پلک جھپکتے گزر جاتا اَور میرا ذہن راستے بھر فٹ بال کھیلتا رہتا!

سکول گزرنے کے بعد چنگی آتی۔ آج میں نے بائی پاس سے گزرتے ہوئے سکول کی طرف دیکھا تو مجھے کھیل کے میدان دیکھ کر مایوسی ہوئی، وہ ویران اَور کسمپرسی کی حالت میں تھے...... مجھے لگا جیسے وہ کہہ رہے ہوں کہ اُن کے ساتھ دھوکا ہوا ہے؛ کسی نے اُن کی قدر نہیں کی اَور لوگ اُنھیں نظر انداز کر کے گلیوں میں کھو گئے ہیں!

چنگی اُسی جگہ پر تھی۔ اُس کے سامنے جامن کے درخت ہوا کرتے تھے جنھیں کاٹ دیا گیا ہے۔ یہاں سے چہل تک آبادی اَور پولٹری فارم ہیں۔ سڑک، درختوں سے تقریباً خالی ہو گئی ہے۔ مجھے یاد ہے کہ درختوں کی چوٹیاں، آپس میں ملی ہوتی تھیں اَور ہمیں چھتری کے نیچے سے گزرنے کا احساس ہوا کرتا تھا۔ چہل بھی دُوسرے دیہات کی طرح تبدیل ہو گیا ہے۔ پہلے یہ سڑک سے خاصا دُور ہوا کرتا تھا، اَب سڑک تک پہنچ گیا ہے۔ اِس کے پھیلاؤ کا تناسب، قلعہ دیدار سنگھ یا لدھے والا وڑائچ سے کم تھا۔ غالباً یہاں سے لوگ قلعہ دیدار سنگھ کو بدصورت بنانے کے لیے اُس کے اِردگرد آباد ہو گئے اَور یہاں وہی لوگ رہ گئے جو یا تو وہاں جا نہ سکے یا پھر وہ قصبے میں منتقلی کو غیر ضروری سمجھے اَور اُنھوں نے اِسی جگہ کو اَپنا مستقبل جانا۔

چہل کے بعد نور پور نہر آتی تھی جو نندی پور کے مقام پر نہر اَپر چناب سے نکلتی اَور گوندلاں والا اَور نور پور کو مس کرتے ہوئے، حافظ آباد جانے والی سڑک کو پار کر جاتی۔ سڑک کے جنوب میں نہر کی پٹڑیوں پر تانگوں کے چلنے کی سخت ممانعت تھی، صرف ہمارا تانگہ گزر سکتا تھا۔ سڑک سے تقریباً تین میل کے فاصلے پر نہر، دو سوؤں میں تبدیل ہو جاتی جن میں سے ایک سوا (چبہ سندھواں مائنر)

مغرب کی طرف نکل جاتا اَور دُوسرا (ارگن مائنز) مشرق کی طرف جاتے ہوئے جب موڑ کاٹتا تو اُس کا رُخ جنوب کی طرف ہو جاتا...... دِن کے وقت ایسے لگتا کہ اِس موڑ کو ایک خاص ڈیزائن کے تحت بنایا گیا ہے: اِس پر ٹاہلی کے بہت سے گھنے درخت تھے؛ تانگہ جب ٹاہلیوں کے سایے سایے گزر رہا ہوتا تو یوں لگتا کہ گھوڑا' موڑ کاٹتے ہوئے' لطف محسوس کر رہا ہے اَور اُس نے اَپنا چوٹا کس لیا ہے اَور سر کو بار بار گھٹنوں کی طرف لے جاتے ہوئے' لگام کو ڈِھیلا چھوڑ دینے کی درخواست کر رہا ہے تا کہ اَپنی رفتار بڑھا سکے۔ مگر رات کے وقت یہ موڑ کسی آسیب کی طرح لگتا۔ ہمیشہ خطرہ رہتا مبادا کہ رہزن' برچھی اَور کاربین لیے کسی ٹاہلی کے پیچھے سے کود کر سامنے نہ آ جائیں!

ارگن مائنز، مشرق کو چھوڑ کر جنوب کی طرف بہ رہا ہے۔ موڑ سے تھوڑے فاصلے پر' مغرب سے آنے والے راستے کے لیے سوئے کو پار کرنے کی غرض سے ایک پل تعمیر کیا گیا ہے جسے تھابل والا پل کہتے ہیں۔ اِس پل کو پار کریں تو تقریباً ایک میل کے فاصلے پر سوئے کے مغرب کی طرف شاہ حسین کا مزار ہے (یاد رہے کہ یہ بزرگ' مادھولال حسین والے شاہ حسین سے الگ شخصیت ہیں)۔

شاہ حسین کے مرشد' حاجی دیوان صاحب کا مزار خانقاہ ڈوگراں والا میں ہے۔ حضرت کا اَپنے مرید ڈوگروں کے لیے حکم تھا کہ وہ اُن دونوں کے فوت ہونے کے بعد شاہ حسین کا عرس پہلے منایا کریں۔ روایت ہے کہ ڈوگروں کو چارپائی پر سونے کی ممانعت تھی۔ شاہ حسین کا میلہ' جیٹھ کی پہلی جمعرات کو ہوتا۔ اُس دِن ڈوگر' صبح طلوع ہونے سے بہت پہلے وہاں پہنچنا شروع ہو جاتے۔ وہ قسم قسم کی سواریوں' مثلاً گھوڑوں' تانگوں اَور بیل گاڑیوں پر آتے' چند ایک کے پاس کاریں بھی ہوتیں جن کا راستہ الگ ہوتا۔ عرس کی صبح' ڈوگروں کے شور سے آنکھ کھلتی۔ ہم اُنھیں دیکھنے کے لیے چھت پر چلے جاتے۔ سوئے کے پار اُن کے قافلے گزر رہے ہوتے۔ مزار پر مجاوروں نے قناتیں' شامیانے لگائے ہوتے جن میں خاندان آنا شروع ہو جاتے۔ مقامی لوگ اَپنے اَپنے تعلق والوں کے آرام اَور ضروریات کا خیال رکھتے۔ تین خاندانوں کے ساتھ ہمارا تعلق' بغیر ملاقات کے تھا۔ ڈوگروں کے آنے سے پہلے والی رات' ہمارے کارندے اِرد گرد کے دیہات سے دُودھ کے

دو ہنے اَور لسی کی چاٹیاں اکٹھا کرنا شروع کر دیتے۔ اُن کے لیے چاول اَور گوشت کی دیگیں پکائی جاتیں، تنور پر آٹے کی پراتوں کے ڈھیر لگ جاتے۔ دو بیل گاڑیوں میں سب کچھ لاد کر، وہاں بھجوا دیا جاتا۔ میں بھی ڈوگروں سے ملنے اَور میلہ دیکھنے ضرور جاتا۔ وہاں شربت، پکوڑوں، کھلونوں، چاقو چھریوں وغیرہ کی دُکانیں سجی ہوتیں۔ ہمارے ہی پکوان اَور دُودھ لسی سے ڈوگروں کی خاطر تواضع ہوتی۔ سہ پہر کے وقت وہ مزار پر دُعا کرتے۔ اِس کے بعد ''چھبے والی کبڈی'' ہوتی۔

اگلے روز صبح سویرے، ڈوگروں کے قافلے واپسی کا سفر شروع کر دیتے۔ جاتے ہوئے قافلوں میں وہ شور اَور ولولہ ماند پڑا ہوتا جو اُن کے آتے وقت دِکھائی دیتا۔ دو پہر تک علاقے کا یہ بڑا تیوہار ختم ہو جاتا اَور میدان خالی ہو چکا ہوتا۔

شاہ حسین کا مزار گزرنے کے بعد ہمارے گھر کو جانے والا پل آ جاتا۔ ہمارے گھر سے تھوڑے فاصلے پر پکی سڑک بن گئی ہے جس سے ایک کچا راستہ ہمارے گھر کی طرف آتا ہے۔ اِس راستے پر غالباً آمد و رفت نہیں کیوں کہ یہاں گیلیں نظر نہیں آتیں۔ کار کو ٹیلے تک پہنچنے میں کوئی دِقت نہیں ہوتی۔

O

میں اِس خاکستری گھر کو دیکھنے جا رہا ہوں۔ میں نے اِس گھر میں خود تو زِندگی کے صرف بیس برس گزارے ہیں لیکن یہ میری کئی نسلوں کو ہضم کر چکا ہے۔ میں نے ہمیشہ یہاں مایوسی دیکھی اَور عورتوں کے قہقہے سنے...... قہقہے جو بے جان، بے مقصد تھے۔ اِس گھر سے ہر کوئی خائف تھا لیکن اَپنے خوف کا اِظہار کرتے ہوئے ڈرتا تھا۔ یہ اُس جزیرے کی طرح تھا جہاں وقت موجود نہیں ہوتا، ہر چیز ایک بہت بڑے ساکت پنڈولم کے ساتھ لٹکی ہوتی ہے۔ مجھے حیرت ہوتی کہ یہاں کے لوگ مرتے کیوں ہیں یا پھر پیدا ہی کیوں ہوتے ہیں! گھر کے ہر مکیں کی زندگی کا کوئی نصب العین نہیں تھا، سب دُنیا سے کٹے ہوئے بندی خانے کے اَندر، آزاد قیدی تھے۔ کسی کو کہیں جانے کی اجازت نہیں تھی، اَور مزے کی بات یہ ہے کہ کوئی فرد کہیں جانا ہی نہیں چاہتا تھا: اُس کے اَندر کوئی خواہش نہیں تھی۔ گھر اُس دلدل کی طرح تھا جس میں سے نکلنے کی کوشش کی جائے تو اَور زیادہ دھنس جانے کا خطرہ ہو!

میں گھر کی طرف پہلا قدم اُٹھاتا ہوں تو کوئی مجھے پکڑ کر پیچھے کی طرف کھینچ لیتا ہے۔ میں ڈرتے ڈرتے، پیچھے مڑ کر دیکھتا ہوں تو مجھے روکنے والا موجود ہی نہیں۔ ڈرائیور میرے چہرے کے تاثرات پڑھنے کی کوشش کر رہا ہے۔ مجھے اَپنے اَندر پیدا ہونے والی تبدیلی پر حیرت ہوتی ہے۔ میں جانتا ہوں کہ اِس گھر کے مکینوں کی زندگی، ہر قسم کے تاثرات سے عاری ہے۔ میں اِس گھر سے

چلا گیا تھا' شاید اِسی لیے میں تاثرات کی زد پر ہوں۔ میں گھر کے باسیوں سے مختلف ہوتے ہوئے بھی' عام اِنسانوں کی طرح سوچنے لگا ہوں: شاید یہی خوف مجھے پکڑ کر پیچھے کی طرف دھکیل رہا ہے! اپنے پیچھے کسی کو نہ پا کر میں آگے بڑھتا ہوں۔ میں تھکا ہوا نہیں لیکن میرے قدم بوڑھے ہو گئے ہیں۔ میں جس رات یہاں سے بھاگا تھا' اُس رات اَپنے سارے خوف' چار دیواری کے اَندر چھوڑ گیا تھا۔ مجھے لگتا ہے' وہی خوف میرے اِنتظار میں ہیں اَور میرے گھر میں داخل ہوتے ہی' میرے وجود کے اَندر گھس کر' خود کو چار سے ضرب دے رہے ہیں!

آج میں اَسّی برس کا صحت مند بزرگ ہوں۔ میرے پچھلے ساٹھ برس کی زندگی میں خوف کا کوئی عمل دخل نہیں تھا۔ آج میں اُسی خوف کے گہوارے میں جا رہا ہوں جسے جھٹک کر میں آزاد ہوا تھا۔ کیا میں اُس مرغ کی طرح ہوں جو سارا دِن جنگلی پرندوں کے ساتھ کللیلیں کرنے کے بعد رات کے اَندھیرے میں اَپنے دڑبے میں آ جاتا ہے!

میری آنکھوں سے آنسو گر رہے ہیں اَور میرے چشمے کا شیشہ دُھندلا گیا ہے۔ یہ آنسو یقیناً پچھتاوے کے نہیں' اَور نہ ہی یہ کسی خوف کی وجہ سے ہیں۔ اگر میں خوف زدہ ہوتا تو آتا ہی کیوں! مجھے گھر سے بھاگ جانے کا پچھتاوا بھی نہیں۔ کیا موت مجھے کھینچے لا رہی ہے؟ اگر میں چار دیواری کے اَندر مر گیا تو......!

میں ٹیلے پر چڑھتے ہوئے رُک جاتا ہوں۔ پیچھے مڑ کر دیکھتا ہوں تو دُور تک لہلہاتے کھیت نظر آ رہے ہیں۔ گندم کے پودے بڑے ہو گئے ہیں اَور اُن میں چھوٹی عمر کی تازگی نہیں رہی۔ ہریالی تو دُور تک پھیلی ہوئی ہے مگر اُس کا رنگ تھوڑا ماند پڑ چکا ہے۔ یہ پودے اَب اُس منزل کی طرف بڑھ رہے ہیں جہاں سے وہ بارآور ہونا شروع ہو جائیں گے۔

میں گھر کی طرف دیکھتا ہوں۔ وہ چند گز کے فاصلے پر کھڑا مجھے اَپنی طرف بلا رہا ہے۔ میں شاید اُس اگلے قدم سے خائف ہوں جو مجھے اُس گھر کے اَور بھی قریب لے جائے گا......اُس گھر کے قریب جس کے اَندر کوئی چیز بارآور نہیں ہوتی۔

گھر کے اَندر اَپنی طرز کی انوکھی دُنیا آباد تھی۔ چند لوگ تھے جو صدیوں سے یہیں مقیم تھے۔ اُنھوں نے چار دیواری کے باہر کی دُنیا کو تج دیا تھا۔ وہ مرتے نہیں تھے، بس زندہ تھے؛ مگر اُنھیں زندہ بھی نہیں کہا جا سکتا تھا کیوں کہ وہ مردہ پیدا ہوئے تھے...... بے بس، لاچار اَور مجبور...... وہ مرنے کی دُھن میں تھے نہ زندگی کرنے کے اِنتظار میں...... وہ ایسے عمل میں سے گزر رہے تھے جو اُن کے اِردگرد معطل وقت کے اژدہے کی طرح شاید ہائبرنیٹ کر گیا تھا اَور یہ ہائبرنیشن مستقل صورت اِختیار کر گئی تھی!

مجھے ایک تجسس جکڑ لیتا ہے جو کبھی تو مجھے کھینچتا ہے اَور کبھی آگے کی طرف دھکیلتا ہے۔ میں نظر اُٹھاتا ہوں تو میرے سامنے صدر دروازہ ہے!

O

دروازے کی درزیں اَور اِن کے درمیانی شگاف چوڑے ہو گئے ہیں: مجھے اِن میں سے خوف باہر آتے دِکھائی دیتا ہے۔ یہ خوف میری طرف بڑھ رہا ہے۔ میرے جسم میں سے بھی خوف کی بو اُٹھنا شروع ہو گئی ہے۔ میں اِس کسیلی بو سے گھبرا کر آگے بڑھتا ہوں اَور شگاف کے اَندر ہاتھ ڈال کر، زنجیر کھول دیتا ہوں۔ دہلیز کے اُس طرف فرش پر پھٹّا، اُسی طرح لگا ہوا ہے۔ باہر سے آنے والا ہر کوئی اِس پھٹّے پر اَپنے پاؤں مارتا کہ آواز صحن تک پہنچ جائے اَور یہ آواز سنتے ہی عورتیں ہنستے ہوئے، اِدھر اُدھر بھاگ جاتیں۔ میں یہاں رُکتا ہوں اَور سوچتا ہوں مگر مجھے پھٹّے پر پاؤں پٹخنے کی ضرورت نہیں۔ میں آگے بڑھتا ہوں۔ روِش کے دونوں طرف گھاس کے قطعے اَور ساتھ ساتھ پھولوں کی کیاریاں بنائی گئی تھیں۔ میں نے ہمیشہ اِن کیاریوں میں رنگ برنگ کے پھول دیکھے تھے۔ گرمیوں میں زینیا کھلتا، برسات میں کلغا، خزاں میں گلِ داؤدی اَور بہار میں ڈھیلیا۔ میں یہ بات کبھی نہیں سمجھ سکا تھا کہ یہاں پھولوں کے ایسے پودے کیوں لگائے جاتے تھے! اَب اِن کیاریوں میں آک اُگے ہوئے ہیں اَور گھاس کے قطعوں میں سروٹ نے قبضہ کر رکھا ہے۔ برآمدہ، فنِ تعمیر کا ایک نمونہ ہوا کرتا تھا: اِسے گھر کی چوڑائی کے برابر تعمیر کیا گیا تھا اَور اِس کے پیچھے بے شمار کمروں کی بھول بھلیّاں تھیں اَور میں اِن کمروں میں اَپنا کمرہ ڈھونڈتے ہوئے گم ہو جایا کرتا تھا۔

برآمدے کو متعدد پیل پائے' اَپنے کندھوں پر اُٹھائے ہوتے تھے۔ پیل پایوں کے اُوپر لنٹل ڈال کر' چھوٹے چھوٹے خانے بنائے گئے تھے جن کے باہر سیمنٹ کی جالیاں لگائی گئی تھیں۔ فرش سے دو فٹ اُوپر تک پیل پایوں کے گرداگرد ایک چوکور سی تھڑی بنی ہوئی تھی۔ چھے دروازے برآمدے میں کھلتے تھے' اَب بھی کھلتے ہیں۔ تمام پیل پایوں کے ساتھ مختلف قسم کی بیلیں چڑھائی گئی تھیں۔

پیل پائے خالی ہیں۔ اُن کے اُوپر لگی جالیوں میں سے گھونسلوں کے تنکے باہر لٹک رہے ہیں۔ مَیں چڑیوں کو گھونسلوں میں جاتے اَور اُنھیں' بوٹوں کو چوگا کھلا کر' باہر کی طرف اُڑتے ہوئے دیکھتا ہوں۔ مجھے چڑیوں کے حلق میں سے بوٹوں کے لیے خوراک نکالنے کی آواز اچھی لگتی ہے: یہ آواز میں نے برسوں بعد سنی ہے اَور مجھے لگا ہے کہ میں یہاں سے کہیں گیا ہی نہیں۔ اُجڑا ہوا صحن اچانک مجھے مانوس سا لگنے لگتا ہے اَور میں خود کو اِس اُجاڑ کا حصہ سمجھنے لگ جاتا ہوں۔ چڑیاں شور مچانے لگ جاتی ہیں۔ شاید وہ میری موجودگی کو غیر ضروری سمجھتی ہیں اَور اَپنے شور سے مجھے ڈرانا چاہتی ہیں۔ مجھے گھر کے ماحول سے اپنایت کا احساس ہوتا ہے۔ میں روِش سے برآمدے میں جانے کے بجائے' دائیں طرف چل پڑتا ہوں کہ اُدھر میرا پسندیدہ علاقہ ہے۔ اُس طرف مرغیوں کا پنجرہ اَور بطخوں کا تالاب ہوا کرتا تھا۔ میں سروٹوں میں سے ہوتے ہوئے' پنجرے کے پاس پہنچتا ہوں تو مجھ پر سکتے کا عالم طاری ہو جاتا ہے۔ مَیں جو کچھ دیکھ رہا ہوں' وہ ناقابلِ یقیں ہے۔ فرش پر مرغیوں کی بیٹوں نے ایک اَور فرش بنا رکھا ہے۔ یہاں تین مرغ نما پرندے' کھڑا ہونے کی کوشش کر رہے ہیں۔ اِن کی ٹانگیں شتر مرغ کے مانند ہیں اَور گردنیں بھی خاصی لمبی ہیں: اِن کے ماتھوں پر کلغی موجود نہیں۔ اِن مرغ نما مرغیوں یا مرغی نما مرغوں کو اَپنی اُونچائی کے مطابق خاصا وزنی ہونا چاہیے تھا لیکن اِن کا گوشت والا حصہ بہت مختصر ہے۔ میں حیرت سے اِنھیں دیکھے جانا چاہتا ہوں۔ یہ مجھے دیکھ کر گھبرا گئے ہیں: شور کرنے کے لیے منہ تو کھول رہے ہیں لیکن کسی قسم کی آواز پیدا نہیں ہو رہی۔ ٹانگوں پر اَپنا وزن سہارنا بھی اِن کے لیے مشکل ہے: پھڑپھڑا کر گردنیں اُونچی کرتے ہیں اَور بس! یہ سالہا سال تک بند پنجرے میں ایک دُوسرے کا گوشت کھا کر اَور لہو پی

کر، مرغوں کی نسل سے کسی اَور ہی نسل میں تبدیل ہو چکے ہیں۔

میں تھوڑا آگے جاتا ہوں تو بطخوں کا تالاب خسک نظر آتا ہے۔ بطخیں بھی کسی اَور ہی نسل میں تبدیل ہو چکی ہیں۔ اِن کے پاؤں اَب چ بؤوں کی طرح نہیں رہے: اِن میں مرغیوں کی طرح اُنگلیاں بن گئی ہیں۔ بطخوں کا رنگ بھی تبدیل ہو چکا ہے۔ مجھے یاد ہے کہ یہ سفید اَور کالے رنگ کی ہوا کرتی تھیں: اَب اِن کا رنگ زردی مائل ہو گیا ہے۔ اِن کی چونچیں چوڑی نہیں رہیں۔ اِنھوں نے شاید کئی نسلوں سے کیچڑ نہیں کھایا؛ صرف گھاس اَور دیگر نباتات کی پتیاں چنی ہیں، اِس لیے اِن کی چونچیں نوکیلی ہو گئی ہیں اَور ٹھونگیں مارنے کے قابل ہیں۔ میں دیکھتا ہوں کہ اِرد گرد کی زمین کا رنگ بالکل پہلے کی طرح ہے: گویا مسلسل خوف اَور جانوروں کے حملوں سے محفوظ رہنے کی غرض سے اِن پرندوں نے اَپنی رنگت تبدیل کر کے زمین کے رنگ سے مطابقت پیدا کر لی ہے۔

میں مرغیوں اَور بطخوں کو دیکھ کر چکرا سا جاتا ہوں۔ مجھے گھر کے رہائشی علاقے میں جانے سے خوف آنے لگا ہے۔ میں پچھلے دروازے کی طرف بڑھ جاتا ہوں جہاں سے کمہار، گدھوں پر اَناج لایا کرتے تھے۔ وہ دو آدمی ہوتے اَور اُن کے پاس ایک چباڑی ہوا کرتی تھی۔ وہ چباڑی سے چھٹوں کو گدھوں سے اُتارتے اَور اَناج والی کوٹھری میں لے جا کر خالی کرتے جاتے۔ پھر اُس کوٹھری پر تالا لگا دیا جاتا اَور اَناج کی کڑی نگرانی شروع ہو جاتی۔ اَندر چوہے دان، کڑکیاں اَور چوہے مار گولیاں رکھ دی جاتیں؛ ساتھ ہی یہ احتیاط بھی کی جاتی کہ کبھی کوئی چوہا اَندر نہ جانے پائے۔ کہا جاتا ہے کہ بڑے طاعون کے دِنوں میں اِس گھر پر بھی حملہ ہوا تھا: اُس زمانے کے بعد سے چوہے کا وجود اِس گھر کے پورے علاقے میں ناقابلِ برداشت تھا۔

میں اَناج کی کوٹھری کی جانب بڑھتا ہوں: یہ پچھلے دروازے کے ساتھ اُسی طرح کھڑی ہے۔ کوٹھری کے باہر زنجیر والی کنڈی تو لگی ہوئی ہے مگر اُس پر تالا نہیں...... یہ میرے لیے حیران کن بات ہے۔ میں کنڈی کھولتا ہوں؛ مجھے اَندھیرے میں دیکھنے کے لیے چند لمحے لگتے ہیں۔ مجھے فرش پر خاکی رنگ متحرک نظر آتا ہے۔ فرش چوہوں سے اَٹا پڑا ہے اَور وہ روشنی سے گھبرا کر ایک

دُوسرے کے پیچھے چھپنے کی کوشش کر رہے ہیں...... اِسی کوشش میں وہ ساری کوٹھری میں بھاگنے لگ گئے ہیں۔ میں اُنھیں دیکھے جا رہا ہوں۔ آہستہ آہستہ مجھے اُن کے قدموں کی آوازیں سنائی دینے لگتی ہیں، پھر یہ آوازیں بلند ہونا شروع ہو جاتی ہیں۔ مجھے لگتا ہے کہ میرے اِردگرد گھوڑوں کے سموں کی آواز گونج رہی ہے۔ میں ذہن کو اِس آواز سے الگ کر کے چوہوں کی طرف دیکھتا ہوں۔ فرش پر اُن کی دو تہیں ہیں۔ وہ نہ صرف ایک دُوسرے کے پیچھے چھپنے کی کوشش میں ہیں بلکہ ایک دُوسرے کے اُوپر نیچے بھی ہو رہے ہیں۔ پھر مجھے ایک عجیب قسم کی اُس بو کا احساس ہوتا ہے جو بالکل بھادوں کی دُھوپ میں جوہڑ کے کیچڑ سے اُٹھا کرتی تھی۔ میں دروازہ بند کر کے کنڈی لگا لیتا ہوں۔

میں برآمدے میں آ کر، پیل پایے کے گرد بنی تھڑی پر بیٹھ جاتا ہوں اَور سامنے کے بند دروازے میں سے اَندر جھانکنے کی کوشش کرتا ہوں۔ میں سوچتا ہوں کہ کمرے میں سے کوئی نکل آئے، چاہتا ہوں کہ کسی کے ساتھ میرا آمنا سامنا ہو! میرے ذہن میں وہ عورت آ جاتی ہے جس کے ساتھ مجھے اَپنے رِشتے کا علم نہیں۔ وہ میری دادی بھی ہو سکتی ہے؛ نانی، خالہ، پھوپھی، چچی، تائی یا ممانی بھی...... میرا اُس سے کوئی بھی رِشتہ ہو سکتا ہے۔ وہ ہر وقت خالی پان دان ساتھ رکھتی اَور بات چیت کرتے ہوئے، ہاتھوں سے اَیسے اِشارے بناتی جیسے پان لگا رہی ہو۔ وہ ہر وقت بولتی رہتی اَور لگاتار بولنے سے اُس کا گلا بیٹھ جاتا۔ اُس کی آواز پھیل جاتی اَور اَیسے لگتا کہ آواز، ایک سے زیادہ گلوں میں سے آ رہی ہے۔ اُس کی باتیں سنتے ہوئے، میں بعض اَوقات کسی اَور بولنے والے کو بھی اِدھر اُدھر دیکھتا۔ اُس کی ہنسی یوں تھی جیسے پھٹے ہوئے ڈھول پر ڈگا لگا دیا گیا ہو؛ اَور گلے سے نکلتی آواز میں نہ تو کوئی گونج ہوتی اَور نہ ہی کوئی تاثر...... بس ایک گھٹی گھٹی سی آواز سنائی دیتی!

اُس عورت سے گھر کا ہر فرد خائف تھا۔ گھر میں واحد مرد، میرا باپ تھا۔ وہ اُس عورت کے سامنے بے بس اَور خائف کھڑا رہتا۔ لگتا کہ گھر میں واحد مرد ہونے کے باوجود، اُس کی کوئی حیثیت نہیں۔ وہ عورت، اُسے کسی نہ کسی بات پر ہر روز ڈانٹ پلاتی۔ میرا باپ، سر جھکائے، اُس کی جھڑکیاں برداشت کرتا رہتا...... کیا مجال کہ اُس کے ہونٹوں پر کبھی حرفِ شکایت آیا ہو! باپ کے علاوہ، دُوسرا

مرد مَیں تھا۔ میں ابھی بچہ ہی تھا کہ اُس عورت نے میری حرکات پر نظر رکھنا شروع کر دی۔ میں محسوس کیا کرتا کہ آنکھیں، ہر وقت میری نگرانی کرتی رہتی ہیں، کبھی چھپ کر اَور کبھی سامنے آکر!

تھڑی پر بیٹھے بیٹھے، میری کیفیت اُس سپاہی کی سی ہے جو پہلی گولی کے داغ، تلوار کے پہلے وار یا نیزے کی پہلی ضرب کا منتظر ہوتا ہے تاکہ اُس کے اَندر کا خوف اَور جھجک دُور ہو جائے۔ میں جانتا ہوں کہ اِس میں اَن دیکھے خوف کا زیادہ حصہ ہے لیکن اَپنے آپ پر اعتماد کا بھی دخل ہے۔ میں یہاں سے بھاگ گیا تھا، اَور بھاگ جانا غداری کے مترادِف ہے۔ میں جانتا تھا کہ یہاں بھگوڑوں کو بہت سخت سزا دیے جانے کا احتمال ہو سکتا ہے: اُنھیں پیل پایے کے ساتھ باندھ کر چابک بھی لگائے جا سکتے ہیں۔ پھر بھی میں نے مروّجہ اُصولوں سے بغاوت کی اَور اِس گھر سے فرار ہونے والا پہلا مرد ثابت ہوا۔ میں یہاں اِن لوگوں سے ملنے آیا ہوں یا اَپنے کیے کی سزا پانے کے لیے؟

میں دروازہ کھولنے سے خائف ہوں۔ جب میں یہاں سے بھاگا تھا، مجھے اِس جگہ اَور یہاں کے باسیوں سے نفرت ہو گئی تھی: وہ مجھے زمین پر رینگتے کیڑوں کی طرح لگتے تھے جو صرف رِزق تلاش کرتے ہیں...... اُنھیں ذاتی تحفظ کے لیے، اَپنے اَپنے بل کے سوا کسی اَور چیز سے غرض نہیں تھی...... یہ لوگ، موسم کی مطابقت سے کمرے اَور کردار تبدیل کرتے تھے۔

میں چودہ برس کا تھا جب میں نے یہاں کے رہنے والوں میں غیر معمولی قسم کے رُجحانات محسوس کیے۔ میں نے دیکھا کہ سب، سر جھکا کر چلتے ہیں۔ ایسے لگتا، اُنھیں یہ خوف ہے کہ کسی نے ذرّہ بھر بھی اِنحراف کیا تو اُس کا سر قلم کر دیا جائے گا۔ میرے باپ کی عمر اُس وقت تیس بتیس برس کے قریب تھی لیکن اُس کے سر اَور ڈاڑھی کے بال سفید ہو چکے تھے۔ مجھے محسوس ہوتا کہ وہ کسی ایسی بیماری میں مبتلا ہے جو اُسے اَندر ہی اَندر سے کھائے جا رہی ہے۔

ایک روز، اُس عورت نے مجھے اَپنے کمرے میں بلایا...... یہ پہلا موقع تھا کہ میں اُس کے کمرے میں گیا۔ یہ کمرہ میرے اَور میرے باپ کے کمروں سے مختلف تھا۔ ہمارے کمروں میں صرف ایک ایک چارپائی تھی...... دِن کو بستر اکٹھا کر کے، پائنتی پر رکھا ہوتا اَور رات کو پھر بچھا دیا

جاتا۔ میں کبھی نہیں دیکھ سکا تھا کہ یہ کام کون کرتا ہے! یہ دونوں کمرے، باقی کمروں کے درمیان میں تھے: اِن میں کوئی کھڑکی تھی نہ روشن دان! برقی رَو آنے سے پہلے، کمروں میں دِن کے وقت بھی لالٹینیں جلتی رہتی تھیں اَور اِس کے آنے کے بعد ہر وقت زیرو کینڈل پاور کے بلب جلتے رہتے۔

اُس عورت کا کمرہ، ایک کونے میں تھا جس کی کھڑکیاں کھیتوں کی طرف کھلتی تھیں۔ مشرق کی طرف دُور تک دیکھا جا سکتا تھا...... نظارہ کافی مسحور کن تھا۔ میں غروبِ آفتاب سے ذرا پہلے اُس کے کمرے میں گیا تھا۔ دم توڑتی روشنی میں دھان کے زرد کھیت، یوں نظر آ رہے تھے جیسے اُن پر ملمع کیا گیا ہو۔ کمرے میں لالٹین کی ضرورت نہیں تھی کیوں کہ کھڑکی میں سے زرد روشنی آ رہی تھی۔ وہ ایک تخت نما پلنگ پر گاؤ تکیے سے ٹیک لگائے بیٹھی تھی۔ اُس کا اَنداز، شاہانہ اَور مرعوب کر دینے والا تھا۔ اُسے اِس ٹھاٹھ میں دیکھ کر، میں اَندر سے تو گھبرا ہی گیا تھا: میرا لڑکپن اَور نا تجربہ کاری، اِس گھبراہٹ کو میرے چہرے پر آنے سے روک نہیں سکے تھے...... اُسے بھی شاید یہی توقع تھی۔ مجھے دیکھ کر وہ مسکرائی اَور اُس نے مجھے فرش پر بچھے قالین پر بیٹھنے کا اِشارہ کیا۔ میں نے قالین کے سرخ رنگ کو پہلی مرتبہ دیکھا...... مجھے وہ خون میں رچا ہوا نظر آیا؛ میں دو قدم پیچھے ہٹ گیا...... اِس وقت تک میں اَپنی گھبراہٹ پر قابو پا چکا تھا۔ نظریں ملیں تو وہ میری آنکھوں میں مدافعت کو تاڑ کر اُٹھ بیٹھی۔ میں اُس میں کایا کلپ ہوتے محسوس کر سکتا تھا۔ اُس کے چہرے پر ایک شیطانی عکس آ گیا۔ میرے سامنے وہ اَب، وہ عورت نہیں تھی جس کے گلے میں سے آواز پھسل کر آتی تھی اَور جس کی ہنسی میں گونج اَور تاثر نہیں تھا...... اُس کی آنکھوں میں بے رحمی، رُوکھا پن اَور بیگانگی تھی۔ میں کمرے میں سے نکل کر بھاگ جانا چاہتا تھا لیکن میرے قدم میرا ساتھ نہ دے سکے۔ اُس نے مجھے اَپنی طرف بڑھنے کا اِشارہ کیا اَور مجھے لگا کہ کسی نے مجھے زنجیر سے کھینچا ہے...... میں پلنگ کے پاس چلا گیا:

"اِس گھر میں، ایک وقت میں صرف ایک آدمی رہتا ہے۔ تم جوان ہونا شروع ہو گئے ہو۔ تمھارا باپ مر رہا ہے۔ اُس کی عمر تک پہنچنے کے بعد تم بھی مر جاؤ گے!"

میں کہنا چاہتا تھا کہ جب تم مرو گی تو پھر کیا ہوگا! مگر میری عمر کے کچے پن نے مجھے دلیر بننے

سے روک دیا اَور میں خاموش رہا۔

''ہر وہ لڑکا، جو جوانی کو چھونے والا ہو، وہی کچھ سوچتا ہے جو اِس وقت تم سوچ رہے ہو!''

میں اُس کی عمر کا اَندازہ نہ کر سکا۔ وہ پینتیس اَور پچاس کے درمیان کسی بھی عمر کی ہو سکتی تھی۔ کمرے میں خاموشی چھا گئی۔ باہر، زرد روشنی کی جگہ، سرمئی اَندھیرا پھیلنے لگا تھا۔ میرے پیچھے، دروازہ کھلنے کی آواز آئی اَور کوئی لالٹین رکھ کر واپس چلا گیا؛ کمرہ پھیکی سی روشنی میں نہا گیا۔ اِس روشنی میں اُس کی شکل اَور بھی ڈراؤنی لگنے لگی۔ خوف سے مجھے اَپنے پیٹ اَور مثانے میں بوجھ سا محسوس ہونے لگا۔ میں قالین پر بیٹھ گیا۔ مجھے لگا کہ میری دھوتی، خون سے گیلی ہو رہی ہے۔ میں بے آرامی سے پہلو بدلنے لگا۔

''تم اُس عمر میں ہو جب لڑکے کی شادی کر دی جاتی ہے...... وہ اَپنا جانشیں دے اَور فوت ہو جائے!''

شادی کے ذِکر سے جہاں میرے دماغ نے ایک انگڑائی سی لی، وہیں موت کی بات سنتے ہی اُس انگڑائی نے دم توڑ دیا۔

O

پچھلے چند سالوں سے' میں سامان خریدنے کے لیے گوجرانوالہ جایا کرتا تھا۔ اُس شام کے بعد' میرا باہر جانا بند ہو گیا اُور مجھے گھر میں قید کر دیا گیا۔ وہ عورت مجھے کئی دِن تک نظر نہ آئی۔ گھر میں کوئی کام ہوتے دِکھائی نہیں دیتا تھا' صرف کاموں کی تکمیل نظر آتی تھی۔ حیرت کی بات تھی کہ پیغام رسانی کون کرتا......لوگ آ کر پھول لگا جاتے' مرغیوں کے پنجرے کو صاف کر جاتے' گھاس کے قطعوں میں سے جڑی بوٹیاں نکال جاتے!

باولا کتا' پانی سے ڈرتا ہے۔ پاگل ہونے سے پہلے' اُس میں کچھ نشانیاں اُبھر آتی ہیں جن میں چڑچڑاپن اُور اَندھیرے میں چھپ کر بیٹھنا وغیرہ شامل ہیں۔ میرا باپ اُور میں شاید باولے ہو گئے تھے۔ ہم اپنا زیادہ تر وقت' اَندھیرے کمروں میں' ایک دُوسرے سے کھہتے ہوئے گزارتے۔ وہ روز بروز کم زور ہو رہا تھا۔ میں جان گیا تھا کہ اُس کی موت زیادہ دُور نہیں۔ میں نے کئی مرتبہ اُس سے اَپنی ماں کے متعلق پوچھنا چاہا مگر یہ سوچ کر خاموش رہا کہ اگر میری ماں ہوتی تو کوئی نہ کوئی مجھے ضرور بتا دیتا۔ شاید وہ میری ہوش سے پہلے ہی مر گئی تھی۔ جب بھی ماں کا خیال آتا' میں ایک محرومی کا شکار ہو جاتا......لگتا کہ میں ایک نامکمل انسان ہوں جو پیار کو تلاش کر کے اَپنی تکمیل چاہتا ہے۔

ایک روز' اُس عورت نے مجھے پچھلے صحن میں بلایا۔ وہ پان دان سامنے رکھے بیٹھی تھی۔ اُس

کے سامنے دو اَور عورتیں بھی بیٹھی تھیں جو اِس گھرانے کے اُصول کے مطابق سر جھکائے ہوئے تھیں۔ میں سامنے جا کر کھڑا ہو گیا۔

’’تمھاری تربیت کا آغاز ہو رہا ہے۔ تمھیں انگریزی‘ اُردو‘ فارسی اَور تاریخ پڑھائی جائے گی۔ کل سے تم روزانہ آٹھ گھنٹے سویا کرو گے اَور باقی سولہ گھنٹے پڑھا کرو گے۔ اُستاد پڑھائیں گے اَور تمھاری کارگزاری سے مجھے باخبر رکھیں گے۔‘‘

میں ایک اَن پڑھ لڑکا تھا۔ تعلیم میرے لیے‘ کھڑکی سے باہر دُور تک پھیلے‘ سونے جیسے دھان کے کھیتوں کی تازگی لے کر آئی۔ میں متجسس ہو گیا۔ اُدھیڑ عمر کو مس کرتے‘ اُدھیڑ عمر والے اَور بوڑھے اُستاذ دروازہ کھٹکھٹاتے اَور دہلیز پار کر کے پھٹے پر پاؤں مارتے۔ یہ آواز سن کر عورتیں کمروں میں دبک جاتیں۔ مجھے قاعدے‘ تختی‘ قلم دوات‘ سلیٹ‘ زیڈ اَور جی کے نب‘ دو لکیری چار لکیری‘ کھلی اَور تنگ لکیروں والی کاپیاں‘ سعدی کی حکایتیں‘ پتھر اَور دھات کے زمانے‘ اَور کیا کچھ نہ تھا جو میرے ناکردہ کار ذہن کو حرکت دینے لگا۔ ریاضی ایک اضافی مضمون تھا جس کے لیے الگ وقت نکالا جاتا۔ مجھے تاریخ اَور شیخ سعدی کی حکایتوں نے خاص طور سے متوجہ کیا۔ میں چلتے پھرتے ’’تنورِ شکم دم بہ دم تافتن‘‘ گنگناتا اَور اِنسان کے معاشرتی اَور تہذیبی اِرتقا کے بارے میں سوچتا۔ مجھے جس دور کے متعلق بتایا جاتا‘ میں اُسی میں رہنے لگتا؛ اَپنا ایک قبیلہ بنا کر اُس کا سردار بن جاتا اَور دُوسرے قبیلوں کو زیر کرنے کے لیے خوں ریز جنگیں لڑتا؛ کئی مرتبہ زخمی بھی ہوا اَور بعض اَوقات تو یہ زخم میری جان بھی لے لیتے! میں کوشش کرتا کہ میری موت سے میرے قبیلے کی فتوحات کا سلسلہ ختم نہ ہو‘ اَور پھر میرا بیٹا جانشیں بن جاتا جو قبیلے کو آگے ہی آگے لیے جاتا۔ میں سوچتا‘ کیا میرا جانشیں میرا بیٹا ہی ہوگا!

’’بیٹے کو جانشیں بنانا خودغرضی پر مبنی ہے۔ بیٹا دراصل ایک کم زور معاشرے میں طاقت کی نشانی ہے۔ میرے گھر میں بھی صرف ایک مرد اَور اُس کا جانشیں رہ سکتا تھا‘‘ ...... میرا متجسس دماغ ایسی باتیں سوچتا رہتا۔ میں خود کو کسی دُوسرے سیارے کی مخلوق تصوّر کرتا جو اُڑن تشتری کے ذریعے

اِس گھر میں اُتر گئی ہو۔ اِس گھر میں، آٹھ عورتوں، میرے باپ اَور میرے علاوہ اَور کوئی نہیں تھا۔ میں خود کو سب سے مختلف سمجھتا۔ پچھلے دو برس کی تعلیم نے میری سوچ کو بدل کر رکھ دیا تھا۔ میں وہ کچھ سوچتا جسے سوچنے کے متعلق میں سوچ بھی نہیں سکتا تھا۔ زندگی سے پہلے کی زندگی اَور زندگی کے بعد کی زندگی، میرے لیے ایک بہت بڑا معما تھا۔ ''انسان کا اِرتقا بھی ایک بہت بڑا اَسرار ہے''...... میں اَندھیرے کمرے میں لیٹا کیا کچھ نہ سوچتا رہتا! میں جانتا تھا کہ میرا باپ اَور آٹھ عورتیں، سب جاہل ہیں۔ باپ کی صحت، دو سالوں میں مزید گر گئی تھی۔ میں جب کسی اُستاد سے پڑھ رہا ہوتا تو میرا باپ بھی وہاں آ جاتا۔ وہ موت کے منتظر چوپایے کی طرح، اپنے گھٹنوں پر سر رکھے، آنکھیں بند کیے بیٹھا رہتا۔ وہ اَپنے چہرے سے مکھیاں بھی نہ اُڑاتا۔ ایک روز، میرا ایک اُستاد، غالب کے ایک فارسی شعر کی غلط تشریح کر رہا تھا کہ میرے باپ نے درستی کر دی۔ میں نے چونک کر دیکھا تو وہ اُسی آسن میں بیٹھا ہوا تھا۔ مجھے خوش گوار سی حیرت ہوئی۔ میں اپنے باپ کو، اَور نظروں سے دیکھنے لگا۔ میں ایک ہی چارپائی پر لیٹ کر اُس سے بات کرنا چاہتا تھا۔ میرا جی چاہنے لگا کہ اُس کے لاغر بدن کو اَپنی بانہوں میں بھر لوں۔ میں راتوں کو اُس کی حالتِ زار پر رو پڑتا۔ ایک روز، میں اُس کے پاس بیٹھ گیا اَور اُس سے باتیں کرنے لگا۔ وہ سر جھکائے، آنکھیں بند کیے بیٹھا رہا اَور اُس نے میری کسی بات کا جواب نہ دیا۔

اُس عورت نے پھر ایک روز مجھے اپنے کمرے میں بلایا۔ یہ پہلی ملاقات والا وقت تھا۔ کھڑکی اُسی طرح کھلی ہوئی تھی مگر دھان کا موسم نہیں تھا، تاحدِ نظر کھیت خالی تھے اَور اُن پر دم توڑتی کم زور سی روشنی خود کو سمیٹ رہی تھی۔ مجھے وہ کھیت، اُس روشنی سے سیراب ہوتے ہوئے محسوس ہوئے۔ میں جانتا تھا کہ اَب اَندھیرا اُگنے ہی والا ہے! پچھلا دروازہ کھلا اَور کسی نے کمرے میں بلب روشن کر دیا۔ وہ عورت سامنے بیٹھی تھی۔ گاؤ تکیہ ایک طرف رکھا ہوا تھا۔ اُس کے ساتھ دو لڑکیاں تھیں جو گردنیں جھکائے ہوئے تھیں۔ اُنھیں میں صحیح طرح سے دیکھ نہ سکا تھا۔ اگرچہ میری زندگی میں، ابھی تک ہیجانی جذبات کو دخل نہیں تھا اَور نہ ہی میں اُن سے واقف تھا، تاہم اُن لڑکیوں کی

موجودگی نے مجھے گردن اُونچی رکھنے پر مجبور کر دیا۔ پہلی ملاقات کی طرح، میرا رویہ گستاخانہ تھا۔ عورت میری طرف دیکھے جا رہی تھی:

''تمھاری تعلیم کی رفتار اور نتائج تسلی بخش ہیں۔ تمھیں اپنے باپ سے رابطہ رکھنے کی کوئی ضرورت نہیں۔ وہ مر گیا ہے۔ کل اِن دو لڑکیوں میں سے......''

اُس نے دونوں کی طرف اِشارہ کیا......

''کسی ایک سے تمھاری شادی کر دی جائے گی۔ اپنے بیٹے کی پیدائش تک، تم یہاں واحد مرد ہو گے۔ جب بیٹا پیدا ہو گیا، تم موت کی طرف چل پڑو گے!''

اُس کے لہجے میں لاتعلقی تھی۔

مجھے اپنے باپ کے مرنے کا دُکھ ہوا۔ میں اُس کی موجودگی کا عادی ہو چکا تھا۔ وہ مجھے ایک ہستی سے زیادہ، ایک احساس لگنے لگا تھا اور میں اُس احساس کو کھو چکا تھا۔ میں اس گھر میں ہوش سنبھالنے کے بعد سے اَب تک تنہا رہا تھا لیکن تنہائی کا شدید احساس مجھ میں پہلی مرتبہ جاگا تھا۔

میں نے اُن لڑکیوں کو پھر دیکھنے کی کوشش کی۔ اُن کی گردنیں جھکی ہوئی تھیں، مجھے اُن کے چہرے نظر نہیں آ رہے تھے۔ اُن میں سے کوئی ایک، میری بیوی بننے والی تھی۔ ''کوئی ایسا طریقہ تو ہو گا کہ میرے ہاں بیٹا پیدا ہی نہ ہو''...... میں سوچنے لگا۔ مجھے ایک ہی طریقہ نظر آیا لیکن میرے جسم نے اُسے قبول کرنے سے انکار کر دیا اور میرے ذہن نے ہتھیار ڈال دیئے۔ میں نے موت کی طرف پیش قدمی قبول کر لی۔ وہ عورت، مسکراتے ہوئے میری طرف دیکھے جا رہی تھی!

O

آنے والا دِن میری زندگی میں بہت اہم تھا۔ میرے باپ کو کہیں دفن کیا جانا تھا اور مجھے ایک جوان بیوی ملنا تھی۔ ایسے واقعات اکٹھے رُونما نہیں ہوا کرتے لیکن میں جان گیا تھا کہ اِس گھر میں اَیسا ہی ہوتا ہے۔ صبح جاگا تو میرا دِل پریشان، غم زدہ اَور اِس کے ساتھ ساتھ ایک توقع سے بھرا ہوا تھا۔ گھر پچھلے دِن کی طرح تھا: کہیں دُکھ کی پرچھائیں تھی نہ خوشی کی چمک! ایک اُستاد میرے اِنتظار میں بیٹھا تھا: میں نے بادِلِ نخواستہ اُس کے ساتھ مضمون کی مطابقت سے بحث شروع کر دی۔ بحث میں میرا جی تو نہیں لگ رہا تھا لیکن میں وقت گزارنا چاہتا تھا۔ مجھے باپ کی خالی جگہ ڈس رہی تھی۔ میں یہ بھی جانتا تھا کہ اُس کی جگہ ہمیشہ خالی رہے گی۔

چند سال پہلے تک میری کسی سے وابستگی نہیں تھی۔ میں اِس ٹبّے میں ایک اجنبی کی طرح تھا۔ پھر آہستہ آہستہ، میں اپنے باپ کا ہونے لگا اَور بُعد کے باوجود خود کو اُس کے قریب تر محسوس کرنے لگا۔ مجھے یوں لگا کہ ہم دونوں اِس گھر کی تنہائی کے شور سے اُکتا کر، کسی وقت بچھڑ گئے تھے اَور اَپنی موجودگی میں ایک دُوسرے کو ڈھونڈتے رہے: اِس کھوج میں ہم اِتنا دُور ہو گئے کہ ردِّعمل میں ایک دُوسرے کے قریب آ گئے۔ وہ مجھ سے بات نہیں کرتا تھا لیکن مجھے اَپنی نظروں کے سامنے رکھتا۔ میں نہیں جانتا کہ یہ پدرانہ شفقت تھی یا وہ میری حفاظت کر رہا تھا! میں اُسے اپنی ذات کے اَندر محسوس کرتا۔ اُس کی کم اعتمادی نے میرے اَندر ایک باغی کو تعمیر کر دیا۔

اُس روز میری شادی بھی تھی۔ مجھے نہ جانے کیوں یہ احساس ہونے لگا کہ وہ عورت کل کی گفتگو بھول گئی ہے یا اُس پر آشکار ہو گیا ہے کہ جس دِن باپ فوت ہو اُس دِن بیٹے کی شادی نہیں کرتے۔ میں باپ کی موت کی گہرائی مین ڈوب کر اپنی شادی کو بھول گیا۔ رات کو معمول کے مطابق اَپنے کمرے میں گیا تو بلب بند تھا۔ پنکھے اَور بلب کے لیے کمرے میں دو سوِچ تھے۔ پنکھے کا موسم نہیں تھا؛ میں نے بلب والا سوِچ دبایا تو وہ روشن نہ ہوا۔ میں جانتا تھا کہ چار پائی اَور میرے درمیان' دو اڑھائی قدم کا فاصلہ ہے جسے میں نے طے کیا۔ اچانک مجھے چار پائی کی چرچراہٹ اَور اُس پر موجود کسی لباس کی سرسراہٹ محسوس ہوئی' ساتھ ہی نتھنوں میں ایک غیر مانوس سی خوشبو آئی۔ میں تو اَیسے پھولوں سے مانوس تھا جو خوشبو نہیں دیتے' اِس خوشبو سے میرا ذہن چکرا گیا۔ سرسراہٹ پھر محسوس ہوئی تو میں جان گیا کہ چار پائی پر کوئی موجود ہے۔ مجھے لگا کہ میں غلط کمرے میں آ گیا ہوں۔ میں کمروں کی بھول بھلیاں میں' کئی مرتبہ پہلے بھی راستہ بھول چکا تھا۔ میں باہر نکلنے کے لیے مڑا تو ایک سرگوشی نے میرے قدم روک لیے:

''اِتنی جلدی؟''

میں تذبذب میں پڑ گیا۔ رُکنا مجھے معیوب لگ رہا تھا' اِس لیے میں پھر چل پڑا۔

''آج ہماری سہاگ رات ہے۔''

یہ آواز سرگوشی سے ذرا اُونچی تھی!

٥

اگلی چودہ راتوں میں میرے کمرے کا بلب روشن نہیں ہوا۔
میں نے محسوس کیا کہ جس جسم کے پاس میں جاتا رہا' اُس کے لباس سے روزانہ ایک ہی قسم کی خوشبو آتی رہی لیکن یہ خوشبو جسم کی اپنی خوشبو کو مٹا نہ سکی تھی۔ پندرہ راتوں میں' میں نے تین جسموں کی علیحدہ علیحدہ خوشبو محسوس کی۔ میں سمجھ گیا کہ یہ تین عورتیں تھیں جو پندرہ راتوں میں میری شریک رہیں۔ سولھویں رات کو میرے کمرے کا بلب روشن تھا اور بستر میرا منہ چڑا رہا تھا۔ مجھے کمرے سے خوف آنے لگا۔ اُس رات' میں نے بلب نہ بجھایا' مبادا کہ پچھلی پندرہ راتوں کے بھوت مجھے ڈرانے لگ جائیں! وہ راتیں مجھے کسی قیاسی آسیب کی ملکیت لگیں۔ میں یہ نہ جان سکا کہ ایسا کیوں سوچتا ہوں! حقیقت تو یہ تھی کہ تین عورتیں باری باری میرے ساتھ رہیں...... نہ تو وہ کوئی آسیب تھیں اور نہ ہی کوئی قیاس...... وہ گوشت پوست کی عورتیں تھیں جو جذبات رکھتی تھیں اور جن میں زندگی کی حرارت تھی۔ اُن پندرہ راتوں میں' میں اپنے باپ کو بھول چکا تھا۔ سولھویں رات' وہ میرے نزدیک آ گیا: رات کے کسی وقت' میں اکیلا نہ رہا اور اُس سے باتیں کرتے ہوئے سو گیا۔ صبح جاگا تو میرا خیال تھا کہ باپ اور میں اکٹھے سوئے تھے۔ مجھے کمرہ اور گھر' مُردوں کی آماجگاہ لگے۔ میں نے محسوس کیا کہ گزری زندگی میں' میں صرف ایک رات ہی جیا ہوں جب میرا باپ زندہ ہو کر میرے پاس چلا آیا تھا۔ اُس رات سے پہلے کی پندرہ راتیں مجھے ایک فریب لگیں...... تینوں

عورتیں اُور میں، ایک دُوسرے کے ساتھ مخلص نہیں تھے۔

آنے والے کئی دِنوں تک، مجھ پر بیزاری سی چھائی رہی۔ مجھے گھر کی ہر شے پر اعتراض تھا...... پھول، بیلیں، مرغی خانہ، بطخوں کا تالاب، برآمدہ وغیرہ، غرض ہر چیز بری لگ رہی تھی۔ وہ عورت مجھے نظر نہیں آ رہی تھی: میں اُسے دیکھنا بھی نہیں چاہتا تھا۔ میری دِلچسپی صرف ایک ہی شے میں تھی کہ میں اُن تین عورتوں میں سے کسی ایک کو پہچان سکوں۔ مجھے یقین تھا کہ اَیسا ہو سکتا ہے۔ مجھے اُن کے جسموں کی زبان یاد تھی اُور ممکن تھا کہ یہ زبان ساری عمر یاد رہے!

پھر ایک وقت ایسا آیا کہ میں اُن کی خواہش کرنے لگا۔ مجھے حیرت بھی ہوتی اُور اَپنے آپ پر غصہ بھی آتا لیکن میں اَپنی خواہش کے آگے ہتھیار ڈال دیتا۔ یہ ہتھیار ڈالنا دراصل میرے یہاں سے بھاگ جانے کی طرف پہلا قدم تھا۔ اپنی تعلیم کے دوران میں، میں جان چکا تھا کہ دُنیا فقط اِس جزیرے تک محدود نہیں؛ انسان ترقی کر رہا ہے اُور عناصر اُس کے تابع ہوئے جاتے ہیں مگر کیا وہ سچ مچ پوری کائنات پر حاوی ہو گیا ہے یا حاوی ہونے کے قریب ہے! کتابوں نے مجھے بہت کچھ سکھا دیا تھا لیکن میری عملی تعلیم صرف گھنٹہ گھر تک محدود تھی۔ سوچتا کہ میں یہ دُنیا کیسے دیکھ سکتا ہوں...... کیا گھنٹہ گھر کے اُس طرف وہ دُنیا ہے جسے تعلیم نے میرے دماغ میں داخل کر دیا ہے!

جہاں وہ تینوں عورتیں میرے ذہن پر سوار تھیں، وہاں دِل میں یہ خواہش بھی بار بار انگڑائیاں لیتی تھی کہ اِس گھر سے جان چھڑاؤں اُور باہر کی دُنیا میں نکل کر زندگی کا حصہ بنوں۔ ایک شام اُس عورت نے مجھے پھر بلایا۔ میں نے منافق بننے کا فیصلہ کیا اُور گردن جھکائے ہوئے اُس سے ملنے چلا گیا۔ وہ اُسی کمرے میں تھی اُور اِس ملاقات کا وقت بھی پہلے کی طرح تھا۔ میں نظریں جھکائے کھڑا رہا:

''مبارک ہو!''

اُس کی آواز میں خوشی بھری ہوئی تھی۔

میں خاموش رہا۔

''اندازہ لگا سکتے ہو؟''

میں پھر خاموش رہا۔

''تمھاری بیوی کے حمل ٹھہر گیا ہے!''

میں خاموش سوچتا رہا کہ وہ تو تین تھیں' یہ کس کی بات کر رہی ہے!

''تیسرا مہینہ ہے۔ اگر بیٹا ہوا تو تم غیر اہم ہو جاؤ گے اور بیٹی ہوئی تو پندرہ راتیں دوبارہ آئیں گی۔''

میری گردن جھکی ہوئی تھی اور ہونٹ سلے ہوئے تھے۔

میں نے چاہا کہ بیٹی پیدا ہوتا کہ وہ عورتیں اور میں' اپنی تمام تر ریاکاری کے ساتھ پندرہ راتیں دوبارہ گزاریں۔ مجھے جانشینوں سے ویسے بھی کوئی دِلچسپی نہیں تھی۔ میں جنگیں لڑنے کے زمانے سے نکل آیا تھا۔ جنگیں تو اَب بھی ہو رہی تھیں مگر اُن کی نوعیت بدل چکی تھی؛ اَب یہ اسلحے کے بغیر لڑی جا رہی تھیں...... سرد جنگیں...... اِن کے میدان پوری دُنیا میں پھیلے ہوئے تھے...... دو متخالف نظریات' اِن کے ہتھیار تھے اور دو بڑی طاقتیں' اَپنا اَثر بڑھانے کے لیے' اُن ملکوں کو مفلوج کر رہی تھیں جو میدانِ جنگ بنے ہوئے تھے...... فوجی قوّت کے استعمال' معاشی دہشت گردی' تہذیبی اور ثقافتی حملوں' دھونس دھاندلی اور سیاسی نوسر بازی سے دریغ نہ کیا جاتا تھا۔ لہٰذا میں نے سوچا کہ میں بھی ایک سرد جنگ کا آغاز کیوں نہ کر دوں! میرے مخالف یقیناً وہ عورت ہوگی اور ہر قسم کے تسلط سے آزادی' میرا نظریہ ہوگا۔ میں نے خود سے سوال کیا: ''ایسا کرنے سے مجھے کس نے روکا ہے؟'' اَندر سے جواب آیا: ''اعتماد کی کمی اور اَنجانے خوف نے...... اور یہی ہر بزدِل کی طاقت ہوا کرتے ہیں!'' کیا میں بزدِل ہوں...... یقیناً ہوں کیونکہ جب سے میرے گوجرانوالہ جانے پر پابندی لگی ہے' میں نے گھر کی دہلیز سے باہر قدم نہیں رکھا اور مجھے یہ بھی معلوم نہیں کہ گھنٹہ گھر سے آگے مجھے کہاں اور کس طرف جانا ہے!

دو دِنوں کے بعد' اُس عورت نے مجھے پھر کمرے میں بلایا۔ یہ صبح کا وقت تھا۔ آج میں اُس

کے سامنے سر اُٹھا کر گیا تھا۔ اِس مرتبہ کمرہ' مشرق سے آتی زندہ کرنوں میں نہایا ہوا تھا۔ مجھے دیکھتے ہی اُس نے گاؤ تکیے کا آسرا چھوڑا اَور سیدھے ہو کر بیٹھ گئی۔ میں نے دیکھا کہ اُس کی گردن کے نیچے جھریوں کا جال سا بنا ہوا تھا جو مجھے پہلے کبھی نظر نہ آیا تھا کہ میں اُسے دم توڑتی روشنی میں دیکھتا آیا تھا' مگر اِس جال نے اُس کی آنکھوں کی چمک میں کوئی فرق نہیں آنے دیا تھا۔

''تم ڈاڑھی رکھنا شروع کر دو! آج کے بعد تم پرانے اَور بوسیدہ کپڑے پہنا کرو گے...... یہ وہ کپڑے ہیں جو تمھارے باپ دادا پہنا کرتے تھے۔''

میں خاموش کھڑا رہا۔

''جس کیفیت سے تم گزر رہے ہو' یہ کیفیت اُن پر بھی گزر چکی ہے۔ اُن کے پَر کاٹنا ضروری تھا' تمھارے پَر بھی کاٹے جا رہے ہیں۔ تم جوتا بھی نہیں پہنو گے!''

کیا میں ڈاڑھی رکھے' ننگے پاؤں' بوسیدہ کپڑے پہنے' کسی کونے میں گھٹنوں پر ٹھوڑی جمائے بیٹھا ہوں گا...... میری نظروں میں باپ کا سراپا گھوم گیا۔ میں نے سوچا: شاید اُس کی مدافعت ختم ہو چکی تھی مگر میں تو کسی کونے میں بیٹھ کر بھی اپنی مدافعت کو زندہ رکھ سکتا ہوں اَور موقع ملنے پر سرد جنگ کے اُصولوں میں سے کسی ایک کو استعمال میں لا کر' اِس نظام کو بدل سکتا ہوں...... سرد جنگ کے اُصول بھلا کیا ہیں...... ہر جنگ کی طرح' بے اُصولی!

اگلے روز مجھے اپنے باپ کے اُن ڈھیلے کپڑے پہننے کو ملے۔ اُنھیں پہننا میرے لیے ایسے تھا جیسے میں اَور وہ ایک ہی جسم میں ڈھل گئے ہوں۔ اُن میں مَیل کے علاوہ' اُس کے جسم کی مہک بھی موجود تھی۔ اُن کپڑوں کو پہن کر میں نے اُسی کی طرح چلنا پھرنا شروع کر دیا۔ مجھے محسوس ہونے لگا کہ میری کایا کلپ ہو رہی ہے...... میں' میں نہیں رہا' کوئی اَور بن گیا ہوں! مجھے اپنے آپ کو کھو دینا اچھا بھی لگا کہ ایسے میں' میں اپنے کھوئے ہوئے باپ کو پا رہا تھا...... پا کیا رہا تھا' وہ تو میرے اَندر سمایا ہوا تھا...... میں صرف وہ بننے کی کوشش کر رہا تھا!

اُس دِن مجھے احساس ہوا کہ میرا تو کوئی نام بھی نہیں؛ میرے باپ کا بھی کوئی نام نہیں تھا......

ہم فقط دو مرد تھے اَور بس...... وہ بڑا مرد اَور میں چھوٹا مرد! اَب میں اکیلا رہ گیا تھا۔ کیا میں اَب بڑا مرد بن گیا تھا؟ اَب مجھے اپنی ماں کے بارے میں بھی پتا چلنا شروع ہو گیا تھا...... تعلیم نے مجھے اِتنا باشعور بنا دیا تھا کہ میں نے اِس معمے کے تمام پہلوؤں کو یک جا کر لیا...... میری ماں بھی کہیں اُن تین عورتوں ہی کی طرح تو نہیں تھی جنھوں نے میرے ساتھ پندرہ راتیں گزاری تھیں! مجھے اپنا باپ ایک معصوم آدمی لگنے لگا۔ اُس نے حقائق جاننے اَور کھوج لگانے کی کبھی کوشش ہی نہیں کی تھی۔ شاید وہ اِتنا کم زور تھا کہ اَیسا کرنا اُس کے بس سے باہر تھا۔ ممکن ہے اُس نے یہ اُمید باندھ رکھی ہو کہ یہ کام میں کروں گا! مجھے اپنا ہونا بھی برا لگنے لگا۔ میں ایک زِندگی کی رفاقت نبھاتے ہوئے پیدا نہیں ہوا تھا؛ مجھے ایک کیڑا بنا کر مچھلی پکڑنے والی کنڈی کے ساتھ لگا دیا گیا تھا کہ میرا باپ کنڈی میں اٹک جائے! پیدا ہونے والا میرا بیٹا یا بیٹی بھی کنڈی میں لگے کیڑے کی طرح تھے کہ میں کنڈی میں اٹک جاؤں...... کیا میں کنڈی کو حلق میں سے نکال سکوں گا؟

میں سچ مچ اپنے باپ کی طرح بن گیا تھا یا میں نے اُس کا رُوپ دھار لیا تھا۔ میں اُسی کی طرح چلتا پھرتا۔ مجھے یوں لگتا کہ میں موت کے اِنتظار میں ہوں۔ میں اپنے آپ کو یہ بھی بتاتا رہتا کہ مجھے مرنا نہیں؛ مجھے یہاں سے فرار ہو کر زندگی کو گلے لگانے کی اُمید کو زندہ رکھنا ہے!

میرے لیے دِن اَور رات میں فرق ختم ہوتا گیا۔ میں گھر کے کسی کونے میں، رَوشنی سے خائف چھپ کر بیٹھا رہتا۔ مجھے دِن میں صرف ایک بار کھانا دیا جاتا جو میرے لیے ناکافی ہوتا؛ اِس کے نتیجے میں میرا جسم نقاہت محسوس کرنے لگا۔ میں موت کی طرف بڑھنے کا سوانگ رچاتے رچاتے، سچ مچ موت کی طرف بڑھنے لگا۔ میں کسی چوپایے کی طرح اَپنے گھٹنوں کی چپنیوں پر ٹھوڑی جمائے، آنکھیں بند کیے بیٹھا رہتا اَور چہرے پر بیٹھی مکھیوں کو اُڑانے کی کوشش بھی نہ کرتا۔

ایک دوپہر کو اُس نے مجھے پھر بلایا۔ اِس بار وہ پہلے سے مختلف لگ رہی تھی۔ بہت سوچنے کے بعد مجھ پر کھلا کہ اُس نے اپنے بالوں کو رنگنا چھوڑ دیا ہے...... سر کی سفیدی نے اُسے ایک عجیب قسم کی تمکنت عطا کر دی تھی۔

''آج میں بہت خوش ہوں۔''

وہ بولی اَور میں اُس کی طرف دیکھتا رہا۔

''رات کے پچھلے پہر' ایک بیٹی اَور صبح کے وقت ایک بیٹا پیدا ہوا۔ ایسا پہلی بار ہوا ہے۔ یہاں ایک ہی بچہ پیدا ہوا کرتا تھا۔''

پندرہ راتوں کو یاد کر کے' میں مسکرایا۔

''بیٹے سے دُور رہنا!......اَور جس سفر پر تم چل نکلے ہو' اُس پر چلتے رہو!''

اُس کی آواز کسی گہرے کنویں سے اُٹھ رہی تھی۔ میں وہاں سے نکل آیا۔

اگلی رات' میں نے یہاں سے بھاگ جانے کا فیصلہ کر لیا۔ شاید اُسے میرے فرار کا اَندازہ بھی تھا۔

بیٹا

O

وقت نے دروازے میں ایک درز بنا دی ہے۔ درز کا زاویہ اِس طرح ہے کہ میں آدھا برآمدہ اَور اُس سے آگے اُتنا ہی صحن دیکھ سکتا ہوں۔ فاصلہ بڑھ جانے کی وجہ سے' نظر دُور تک جا سکتی ہے لیکن میں اُسے برآمدے کی چوڑائی سے زیادہ بڑھنے نہیں دیتا کہ اِس سے زیادہ دیکھنے سے مجھے چکر سا آنے لگتا ہے۔

میں معمول کے مطابق درز میں جھانکتا ہوں۔ مجھے پیل پایے کی تھڑی پر کوئی بیٹھا دِکھائی دیتا ہے۔ میں درز سے آنکھ ہٹا دیتا ہوں۔ دوبارہ دیکھتا ہوں تو وہ مجھے پہلے سے بہتر طور پر نظر آتا ہے۔ میں ایک بوڑھے آدمی کو دیکھ سکتا ہوں جس کے جسم میں مجھے طاقت نظر آتی ہے۔ میں اُسے دیکھے جانا چاہتا ہوں۔ میں وقت کی گنتی بھول چکا ہوں یا وقت میری گرفت سے باہر نکل کر آزاد ہو گیا ہے۔ مجھے کمرے کی بھول بھلیاں میں بند کر دیا گیا ہے یا میں نے خود اَپنے آپ کو قید کر لیا ہے۔ مجھے نہیں معلوم کہ کون سے کمرے میں میرے کھانے کا سامان پڑا ہے! میں ضرورت کے تحت اُسے ڈھونڈنا شروع کر دیتا ہوں۔ بعض اَوقات' ڈھونڈ نہیں پاتا تو نڈھال سا' سو جاتا ہوں۔

میں نے جب اِس گھر کی قید سے آزاد ہو کر' خود کو اِن کمروں میں بند کیا تو مجھے آزادی کا انوکھا سا احساس ہوا۔ میں نے اُپنے آپ کو وقت' روشنی' شفق' رِشتوں اَور مستقل خوف سے آزاد محسوس کیا۔ میں نے اَپنا لباس اُتار دیا۔ کمروں میں ہمہ وقت اَندھیرے کے باعث' اپنے ستر کو' میں خود

بھی نہ دیکھ سکتا۔ میں جو چاہتا' کرتا...... بھُولے ہوئے وقت کی جانے کتنی اِکائیاں...... میں ہنستا رہتا۔ دِن طلوع ہوتے اُور غروب ہوجاتے' مگر میں ہنستے چلا جاتا۔ ہنستے ہنستے' اچانک میری آنکھوں میں آنسو آجاتے' میں رونا شروع کردیتا...... ایسے میں مجھے اُپنے باپ کی یاد آنا شروع ہو جاتی۔ گھر میں اُس کا ذِکر ممنوع تھا۔ یہی کہا جاتا کہ شاید اُس کے خون میں کسی مقامی آدمی کی ملاوٹ تھی...... اگر وہ خالص ہوتا تو گھر کی رِیت نبھاتے ہوئے جان دے دیتا۔ کیا اُس نے اُس طرح جان نہیں دی تھی جس کے لیے مجھے تیار کیا جارہا تھا! میں موت کی طرف گام زن تھا کہ مجھے اچانک زندگی سے پیار ہونے لگا۔ میں جب چلچلاتی دُھوپ یا گھرے بادل یا ٹھٹھری صبحیں یا خزاں کی شامیں دیکھتا تو سوچتا کہ زندگی کے یہ رنگ مجھ سے زبردستی چھینے جارہے ہیں۔ رِیت نبھانے والوں کو کوئی یاد نہیں کرتا۔ میرے باپ نے روایت کو توڑا تو اُس کا ذِکر ممنوع قرار پایا جس کا مطلب تھا کہ وہ سب کی سوچ میں زِندہ تھا۔ میں اگر نا خالص بن جاؤں اُور اُس کی خالص رِیت نبھاؤں تو میں بھی ایک آسیب کی طرح اِس گھر کے مردہ در و دیوار میں زِندہ رہوں گا۔ میں مرنا نہیں چاہتا' مجھے زندگی سے پیار ہے۔ میں برسوں سے اِن تاریک کمروں میں بند ہوں...... ننگا' تنہا' خوف زدہ' بے بس...... اگر میں یہاں سے نکل کر باہر آتا ہوں تو کیا روشنی کو سہ سکوں گا؟ روشنی کسی طور بھی مجھ پر یلغار نہیں کرے گی لیکن اِس کی سوئیاں میری آنکھوں کو چھید دیں گی اُور باہر آنے کے بعد شاید میری بینائی جاتی رہے: اگر بینائی جاتی رہی تو میں اَندھیروں میں ڈوب جاؤں گا اُور کمروں کی تاریکی کو کیوں کر دیکھوں گا! اَندھیرے کو دیکھا جاتا ہے کہ محسوس کیا جاتا ہے...... اگر دیکھا جاتا ہے تو میں محروم ہوجاؤں گا' اگر محسوس کیا جاتا ہے تو محسوس کر کے کیا حاصل ہوگا...... ایک ایسا اِطمینان جس میں بے اِطمینانی ہے یا ایسی بے اِطمینانی جو اِطمینان کی متلاشی ہے!

سنا تھا کہ گھر کا ہر نوجواں لڑکا' گوجرانوالہ سے سامان خرید کر لایا کرتا تھا۔ میرے باپ کے گھر سے بھاگ جانے کے بعد یہ روایت ختم ہوگئی۔ مجھے کمروں اُور برآمدے سے باہر جانے کی اجازت نہیں تھی۔ عام تاثر تھا کہ میں بھی بھاگ گیا تو گھر پر قہر ٹوٹ پڑے گا۔ میں سوچتا ہوں کہ جو

قہر ٹوٹا ہوا ہے‘ اُس سے بدتر قہر اَور کیا ہوسکتا ہے! اِس گھر کا وارِث‘ تاریک کمروں میں‘ اپنے شہر سے بے نیاز‘ سالہا سال سے بند ہے۔ میں نہیں جانتا کہ مجھے بند ہوئے کتنے برس ہو گئے ہیں...... پانچ‘ دس‘ پندرہ‘ بیس‘ پچیس‘ تیس...... کہاں تک گنتا جاؤں! ہاں‘ اِتنا ضرور ہے کہ میں زِندہ ہوں۔ بعض اَوقات گمان گزرتا ہے کہ میں زِندہ نہیں ہوں‘ مجھے مرے ہوئے کئی برس بیت چکے ہیں...... دس‘ بیس‘ تیس...... اَور اِن کمروں میں میری رُوح زِندہ ہے! شاید معصوم رُوحیں‘ غیر مرئی وجود سے ٹھوس وجود میں تبدیل ہو جاتی ہیں؛ مگر رُوحیں تو ہمیشہ اچھی باتیں سوچا کرتی ہیں اَور میں ہر وقت اِس گھر کی تباہی کی بابت سوچتا ہوں...... کہیں اَیسا تو نہیں کہ میں ایک بدرُوح ہوں!

لیکن میں نے اِس گھر کی تباہی کے بارے میں کبھی نہیں سوچا۔ یہ گھر تباہی کی طرف جا رہا تھا: اگر میں بدرُوح ہوتا تو اِسے تباہی کی طرف جانے دیتا مگر میں نے اِس کی پیش قدمی کو روک دیا۔ اَب یہ گھر‘ میرے زِندہ رہنے تک محفوظ رہے گا اَور مجھے ہمیشہ زِندہ رہنا ہے: مرتے تو وہ لوگ ہیں جو زِندہ کہلاتے ہیں اَور مجھے مرے ہوئے کتنے ہی برس بیت چکے ہیں...... اِتنے برس کہ میں گن ہی نہیں سکتا اَور اِس گنتی میں سے میں دوبارہ زِندہ ہو گیا ہوں اَور مجھے زِندہ ہوئے اِتنے برس ہو گئے ہیں کہ میں اُنھیں گن ہی نہیں سکتا...... یہ سلسلہ رہتی دُنیا تک قائم رہے گا اَور معاملہ کبھی حل نہ ہو سکے گا!

میں اِس گھر میں جسمانی طور پر سب سے زیادہ طاقت وَر تھا لیکن ذہنی طور پر سب سے کم زور! میں گوشت پوست کا آدمی ہونے کے بجائے موم کا پتلا تھا۔ میرے وجود کو کسی نہ کسی طرف سے موڑ کر‘ ہر روز نئی شکل دے دی جاتی: میں اُس شکل میں سما جانے کی کوشش میں لگ جاتا تو مجھے کچھ اَور بنا دیا جاتا۔ میرے وجود میں ایک پتھر کا وجود‘ شکل پکڑنے لگا جو موم کی نفی تھا۔ مجھے گھر میں عورتوں کی حکمرانی پسند نہیں تھی۔ ایک بوڑھی‘ غیر محفوظ اَور قریب المرگ عورت‘ گھر کی حاکم تھی۔ میں جانتا تھا کہ اُس کے مرنے کے بعد باقی آٹھ عورتوں میں جنگ ہو گی اَور یہ خانہ جنگی میری تباہی کا سبب بن سکتی ہے۔ میں نے اِنتظار کرنے کے بجائے‘ قدم اُٹھانے کا فیصلہ کیا۔ ایک دوپہر‘ میں اُس بوڑھی عورت کے کمرے میں چلا گیا۔ وہ کمرے میں اکیلی‘ بے یار و مددگار اَور مایوس سی لیٹی ہوئی تھی۔

اُس کا اَزل کا ساتھی پان دان، فرش پر اوندھا پڑا تھا۔ مجھے دیکھ کر اُس نے اُٹھنے کی کوشش کی اور پھر اُس نے میرے چہرے کے تاثرات پڑھ کر ہتھیار ڈال دیے۔

''میں جانتی تھی کہ اِک نہ اِک روز یہی ہوگا۔''

اُس کی نحیف آواز میں کافی طاقت تھی۔ میں اُس طاقت سے گھبرا گیا۔ میں نے لمحہ بھر کے لیے پس قدمی کا سوچا لیکن اگلے ہی لمحے مجھے اَپنا فیصلہ یاد آ گیا!

بُوڑھی کنجری

O

تم اگر کبھی گھر سے باہر گئے تو جوہڑ کے کنارے تمھیں ٹھیکریوں کے ڈھیر نظر آئیں گے۔ دوسو برس پہلے، تمھارا جدِّ امجد گھسیٹا رام، اِس ٹبّے پر رہنے والے خاندان کے لیے برتن بنایا کرتا تھا۔ اُس خاندان کو، ہر کھانے پر نئے برتن درکار ہوتے تھے۔ اگر کبھی کوئی برتن اُن لوگوں کی خواہش کے مطابق نہ ہوتا تو وہ پُور کا پُور توڑ دیتے اَور گھر کے اَفراد اُس وقت کا کھانا نہ کھاتے۔ یہ بات، گھسیٹا رام کے لیے بہت تکلیف دہ ہوتی...... ایک تو سب کے بھوکا رہنے کا دُکھ اَور دُوسرے اُسے یہ ٹھیس پہنچتی کہ اُس کے بنائے ہوئے برتنوں کو ردّ کر دیا گیا۔ جہاں اُسے ہر کھانے پر نئے برتن بنانا، ایک دِلچسپ اَور مقابلے کا کام لگتا، وہاں وہ آئے روز کی بے یقینی کی کیفیت سے بھی اُکتایا گیا تھا۔ وہ جانتا تھا کہ اُس کے اَندر بے پناہ صلاحیتیں موجود ہیں لیکن ذات پات کے نظام نے اُس کی اہلیت پر ناکامی کی مہر ثبت کی ہوئی تھی۔ وہ اپنی زندگی کو بدلنا چاہتا تھا لیکن اُس کے پاس مواقع موجود نہیں تھے۔ وہ سوچتا کہ اِسی طرح برتن بناتے بناتے وہ کسی دِن جل کر مر جائے گا!

مگر ایک روز اُس کے ذہن نے اُسے مشورہ دیا کہ روز کے روز برتن بنانا مناسب نہیں کہ کسی وقت کے برتن ردّ ہو جاتے ہیں اَور اگلے وقت کے لیے بن نہیں پاتے اَور یوں اُسے شرمندگی کے سوا کچھ نہیں ملتا...... اُس نے دِن رات محنت کر کے، سات دِن کے لیے برتنوں کا ذخیرہ اکٹھا کر لیا اَور اِس کے بعد، ٹیلے پر آباد خاندان کو کبھی شکایت کا موقع نہ ملا۔ گھسیٹا رام نے ناپسند برتنوں کو

توڑنے کے بجائے فروخت کرنا شروع کر دیا...... اُس کے لیے کاروبار کا یہ پہلا تجربہ تھا مگر پھر کیا تھا کہ اُسے اِس کام کا چسکا پڑ گیا۔

اِردگرد کے سکھ جاٹ بہت طاقت وَر تھے۔ وہ جب چاہتے، غیر سکھ خاندان کو ملیا میٹ کر دیتے۔ گھسیٹا رام نے اَپنے کاروبار کی بدولت کچھ رقم جمع کر لی تھی: وہ اِس میں اضافہ کرنے کا خواہش مند تھا۔ وہ ڈرتا بھی تھا کہ سکھ جاٹوں کو اُس کے کاروبار کی بھنک پڑ گئی تو وہ اُسے راستوں میں گھسیٹنے سے دریغ نہیں کریں گے۔ ایک شودر کا کاری گر ہونا، اُس کے راستے کی سب سے بڑی رُکاوٹ تھا مگر اُس نے آگے بڑھنے کا فیصلہ کر رکھا تھا۔ ترقی کرنے کے لیے اُس نے سوچا کہ وہ اپنے پُرکھوں کے مذہب سے کنارہ کر کے کیوں نہ سکھ مذہب اِختیار کر لے! چنانچہ ایک روز اُس نے مذہب بدلنے کا اعلان کر دیا اَور گھسیٹا رام سے وہ گھسیٹا سنگھ بن گیا۔ رام سے سنگھ بننے کا تہذیبی فاصلہ اُس نے ایک جست میں طے تو کر لیا مگر نہ تو وہ سکھ بنا اَور نہ ہی گھسیٹا رام رہا...... وہ ایک ایسا کاروباری بن گیا جو صرف دولت اکٹھی کرنا چاہتا تھا۔ وہ ہر قسم کے سودے بھی کرنے لگا...... مال مویشی، بیل گاڑیاں، فصلیں، زمینیں...... اُسے جس کسی شے میں منافع ملنے کی توقع ہوتی، وہ اُسے خرید لیتا اَور پھر بیچ دیتا۔ حد سے زیادہ رقم جمع کرنے کے بعد، اُس نے پہلے تو اِردگرد کے چار دیہات کی زمین خریدی اَور پھر یہ ٹیلا بھی اپنی ملکیت میں لے لیا۔

یہ گھر بہت بعد میں بنا۔ گھسیٹا سنگھ اَب ایک طاقت وَر آدمی تھا مگر اِس کے باوجود وہ خوف زدہ رہتا تھا۔ اُسے ہر وقت اپنی زندگی اَور دولت کے لُٹ جانے کا خطرہ رہتا۔ وہ پچھلی ساری عمر مجرد رہا تھا مگر اَب اُسے کسی عورت کی ضرورت محسوس ہونے لگی تھی۔ وہ اپنی دولت کی بقا، نسل کے آگے چلنے میں سمجھتا تھا مگر وہ مقامی عورتوں سے خائف بھی تھا۔ اُسے شک تھا کہ اُسے زہر دے کر یا کسی اَور طریقے سے مار دیا جائے گا اَور اُس کی دولت پر قبضہ کر لیا جائے گا۔ لہٰذا اُس نے بازار سے کوئی عورت خریدنے کا فیصلہ کیا۔ شاید یہ بھی ایک کاروبار تھا کیوں کہ اُس کے لیے زندگی میں یہی ایک حقیقت تھی۔

وہ اُس بازار سے ایک مسلمان عورت کو خرید لایا۔ وہ ہندو پیدا ہوا تھا، مصلحت کے تحت سکھ بنا اور اپنی حفاظت کے لیے اُس نے مسلمان عورت میں پناہ ڈھونڈ لی۔ اُس کے گھر میں بیک وقت تینوں مذہب، اپنے اپنے رنگ میں زندہ تھے۔ وہ ہندو تھا نہ سکھ...... جہاں اپنے پُرکھوں کی رُوحوں سے اُسے خوف آتا تھا، وہاں سکھ کرپان بھی اُس کی نظروں کے سامنے ہر وقت لٹکتی رہتی۔ مسلمان عورت، اپنے ماضی کے ازالے کے لیے، ہمہ وقت عبادت میں مصروف رہتی...... بھجن، کیرتن، زبور، حمد و نعت...... ٹبّا، مذاہب کی آماج گاہ ہوتے ہوئے بھی ایک غیر مذہبی ٹھکانا بن گیا!

O

وہ پہلی بازاری عورت تھی جسے گھسیٹا اُپنے گھر لایا تھا اُور پھر یہ روایت بن گئی کہ ہر نسل اپنے لیے بازار سے عورتیں لاتی اُور اپنی عورتوں کو شادی سے محروم رکھتی!

ٹیلے پر گھر کی تعمیر شروع ہوگئی جسے ساٹھ برسوں میں تین نسلوں نے مکمل کیا۔ دُور سے یہ ایک پر شکوہ عمارت نظر آتی تھی لیکن اَندر سے یہ نہایت بے ڈھنگی اُور نا قابلِ رہائش تھی۔ ایک وقت ایسا آیا کہ اِس کی تعمیر کا کام مردوں کے بجائے عورتوں نے سنبھال لیا اُور یہیں سے اِس خاندان کے نئے دور کا آغاز ہوا۔ عورتوں نے گھر کے کمرے اُس بازار کے کمروں کی نسبت سے تعمیر کرائے...... بالکل اَندھیرے اُور ویران! اُنھوں نے چاہا کہ گھر میں زندگی کا احساس بالکل نظر نہ آئے؛ اَندر سے یہ نیا ہونے کے باوجود بالکل کھنڈر کی طرز کا ہو اُور جو کوئی اِسے باہر سے دیکھے' اُس پر ہیبت طاری ہو جائے!

گھسیٹا کو دفن کیا گیا نہ جلایا گیا۔ جب اُس کی لاش گل سڑ گئی تو اُس کی ہڈیوں کو ایک کمرے میں رکھ دیا گیا۔ بس پھر یہی دستور رہا کہ خاندان کا کوئی فرد مرتا تو اُس کی ہڈیاں اُسی کمرے میں رکھ دی جاتیں!

گھر کی تعمیر کا کام سنبھالنے کے بعد' عورتوں میں ایک قسم کی فعالیت آگئی۔ مردوں نے جب دیکھا کہ عورتیں' نظام کو خوش اسلوبی سے چلا رہی ہیں تو وہ معاملات سے دست بردار ہونا شروع ہو

گئے۔ پھر کیا تھا' عورتوں نے ایک نیا نظام ترتیب دینا شروع کر دیا' وہ گھر پر حاوی ہوتے چلے گئیں اَور معاملات میں مردوں کا عمل دخل بالکل ختم ہو گیا۔ اَب مردوں کو اَپنے لیے بازار سے عورتیں لانے کی زحمت بھی گوارا نہ کرنا پڑتی۔ گھر کی عورتیں' اُنھیں ایک خاص مدت کے لیے بازار سے منگواتیں اَور وہ بچہ جننے کے بعد واپس چلی جاتیں۔

بٹوارے کا شور اُٹھا تو لوگ نقل مکانی کے لیے تیار ہو گئے۔ گھر کے سوئے ہوئے مردوں کے اَندر گھسیٹا کی رُوح جاگ اُٹھی۔ وہ اَپنی سلطنت چھوڑ کر ہندوستان میں کسمپرسی کی زندگی گزارنا نہیں چاہتے تھے۔ اُنھوں نے سوچا کہ وہ کیوں نہ مسلمان ہو کر اَپنے اثاثوں اَور اَملاک کو محفوظ کر لیں! چنانچہ ایک اعلان کے ذریعے' اُنھوں نے اِسلام قبول کر لیا مگر اُنھوں نے کلمہ پڑھا نہ ختنے کرائے۔ اِردگرد کے دیہات میں آباد' چند کشمیری خاندانوں کے سوا اُنھیں کسی اَور کا خوف نہیں تھا۔ قرب و جوار کے چار دیہات میں اولکھ جاٹ آباد تھے جنھیں سکھ مذہب چھوڑے اَور اِسلام قبول کیے زیادہ عرصہ نہیں گزرا تھا: اُن میں کوئی جاٹ ایسا جی دار نہیں تھا کہ اِس گھر پر دھاوا بول دیتا۔ کشمیری سربراہوں کو گھسیٹا کے وارثوں نے لالچ دے کر بے اَثر کر دیا۔ ملک تقسیم ہو گیا' خون کی ندیاں بہ گئیں مگر یہ ٹیلا محفوظ رہا۔

نیا ملک وجود میں آیا تو جہاں ایک طرف اِس گھر کا نظام غیر مؤثر ہوا' وہاں دُوسری طرف مؤثر بھی ہو گیا۔ مرد اَپنا وجود گنوا بیٹھے اَور وہ سردیوں کے سانپ کی طرح بے اَثر ہو کر رہ گئے۔ میں اِس گھر میں مستقل طور سے لائی گئی آخری عورت ہوں۔ میں پیشہ ور جسم بیچنے والی تھی۔ مجھے اُس وقت خریدا گیا جب میری قیمت' نہ ہونے کے برابر رہ گئی تھی۔ مجھ سے پہلے والی عورت' چند دِنوں کی مہمان تھی۔ میں نے حالات کا جائزہ لیا اَور اِس گھر کی باگ ڈور سنبھال لی۔

اِس گھر کو چلانا بہت مشکل کام تھا جس کے لیے بصیرت اَور ہوشیاری کی ضرورت تھی۔ گھسیٹا کے ملکیتی چار دیہات کے باسی' اُس کے خاندان کے مسلمان ہونے کے اعلان کے بعد' کتوں کی طرح اُن کے وفادار ہو گئے؛ اُن کی نظروں میں ٹیلے کا مقام بہت بلند ہو گیا تھا؛ چنانچہ وہ شدّتِ احترام

میں اُن سے خائف بھی رہنے لگے۔ ٹبّے والے یہ نہیں چاہتے تھے کہ اُن کی عورتیں گھر سے باہر نکلیں یا کوئی اُنھیں دیکھے۔ گھر کی ناظم نے اِنتظامات کو ایسا رُخ دیا تھا کہ اِس کے پیچھے کسی عورت کا ہاتھ نظر نہیں آتا تھا اگرچہ سارا نظام عورت ہی چلا رہی ہوتی۔ روایت یہ بن گئی کہ ایک وقت میں یہاں صرف ایک مرد ہو، مبادا کہ دو یا دو سے زیادہ مردوں کی موجودگی میں وہ اِس پر قابض ہو جائیں!

میں بعض اَوقات سوچتی کہ یہ کوٹھے والیوں کا گھر ہے، اَور اِس گھر پر سالہا سال سے اُنھیں کا قبضہ ہے مگر کبھی یہاں کسی نے چکلا چلانے کی کوشش نہیں کی اگرچہ سیاہ وسفید کی مالک ہونے کے باعث، عورتوں کے لیے ایسا کرنا کوئی مشکل کام نہ تھا۔ کسی بھی جنس کے لیے اَپنی خصوصیات وعادات کا ترک کرنا امرِ محال ہے: اِسی طرح رنڈی بھی اَپنے طریقۂ کار سے کبھی دست بردار نہیں ہوتی مگر ٹیلے والا گھر، ناقابلِ یقین حد تک، ایک مثالی گھر تھا...... رنڈیاں یہاں، ایک مختلف قسم کے رنڈی پن کا مظاہرہ کرتیں؛ جسم فروشی اُنھیں اگلے وقتوں کا کام لگتا...... گویا وہ مردوں سے ہزار ہا سال کا بدلہ لینے لگیں...... اُنھیں صاحبِ حیثیت مردوں کو بے اَثر اَور ناکارہ دیکھ کر سکون حاصل ہوتا...... پہلے وہ اُنھیں عالم فاضل بناتیں اَور پھر ختم کر دیتیں۔

یہ بھی اِس گھر کی روایت کا حصہ تھا کہ یہاں کبھی اُجالا نہ ہو۔ روشنی، زندگی کی علامت ہے مگر ہمیں اِس گھر کو زِندگی کے آثار سے عاری رکھنا تھا۔ یہاں صرف ایک ہی ہستی روشنی میں رہ سکتی تھی۔

میں تیس برس سے زیادہ اِس گھر میں رہی ہوں؛ تمھارا پردادا مجھے یہاں لایا تھا جسے میں لے ہنڈایا۔ تمھارا باپ مختلف تھا۔ میں اُسے روکنا چاہتی تو روک سکتی تھی لیکن میں نے اُسے جانے دیا۔ میں دیکھ سکتی تھی کہ اُس کے اَندر گھسیٹا کی رُوح ہے۔ وہ تجربات کرنا چاہتا تھا۔

اِس گھر کی تاریخ میں میرا کردار سب سے اَہم ہے۔ اِس گھر پر ایک صدی سے عورتیں قابض ہیں۔ اَب میں نے اُن کے قبضے کو ختم کرنے اَور مردوں کو فعال بنانے کا تہیہ کر لیا ہے۔ بظاہر یہ آسان کام ہے لیکن اِتنا آسان بھی نہیں...... یہ وقت کے پہیے کو اُلٹا چلانے کے مترادِف ہے۔ مجھے اُس زمانے میں جانا ہوگا جب گھسیٹا نے اِس گھر میں بازار سے پہلی عورت لانے کا فیصلہ کیا

تھا۔ میں اِس گھر کو رنڈیوں کے وجود سے پاک کر دوں گی لیکن کیا میں اُنھیں نکال سکوں گی...... کیا رنڈی کے وجود کو پاک کیا جا سکتا ہے...... اُس کے وجود کو پاک کرنے کا ایک ہی طریقہ ہے اُور اُس طریقے کو تم جان گئے ہو مگر تم شاید احساسِ کمتری کی وجہ سے اعتراف نہ کر سکو گے یا اِس پر عمل در آمد کرنے سے ہچکچاؤ گے...... خیر' کوئی بات نہیں؛ اِس سلسلے میں' میں تمھاری رہنمائی کروں گی۔

گھسیٹا جس عورت کو خرید کر لایا' وہ اُس کی ساتھی نہیں تھی۔ گھسیٹا' رفاقت کی چاشنی سے واقف ہی نہیں تھا۔ اُس کا خیال تھا کہ آدمی وہی کامیاب ہے جو اکیلا ہو۔ اُس عورت کو گھسیٹا کی دولت اُور اُثاثوں کا علم بہت بعد میں ہوا مگر جب ہوا تو اُس نے جائے نماز سے اُٹھ کر سوالات کی بوچھار کر دی۔ گھسیٹا کے اُندر خوف' مستقل طور سے آباد تھا۔ اِس خوف کے اُکسانے پر اُس نے اُس عورت کو قتل کر دیا...... یہ اِس گھر میں پہلا قتل تھا؛ اِس کے بعد یہاں کوئی قتل سرزد نہیں ہوا' تاہم مردوں کو موت کی طرف دھکیلا ضرور جاتا رہا ہے۔

گھسیٹا مر گیا۔ اُس کی نسل کے مرد باری باری مرتے گئے اُور اُپنے پیچھے بے کسی اُور محرومی کی داستاں چھوڑتے چلے گئے۔ اَب یہ داستاں اِس قدر طویل ہو گئی ہے کہ اِس کا کوئی سرا ہاتھ ہی نہیں آتا۔ عین ممکن ہے کہ یہ اِس ٹیلے کی چار دیواری سے باہر نکل جائے اُور لوگ سوال پہ سوال کرنے لگ جائیں!

اِس گھر کو رنڈیوں کے وجود سے پاک کرنے کے کام کا آغاز تم کرو گے! رنڈی' اپنے تمام تر گھناؤنے پن اُور غلاظت کے باوجود' ایک معصوم اُور پاک ہستی ہے۔ اگرچہ اُس کا انگ انگ گناہ میں ڈوبا ہوا ہے مگر وہ گناہ میں ساجھے دار نہیں ہوتی۔ اُس کی شخصیت کے دو حصے ہوتے ہیں: ایک وہ جو اُس سے گناہ کا اِرتکاب کراتا ہے اُور دُوسرا وہ جو اِس گناہ سے بے بہرہ ہے۔ گھسیٹا کی عورت نے اپنی شخصیت کو ایک حصے میں ضم کر دیا اُور وہ دُوسرے حصے کو کھو بیٹھی؛ چنانچہ اُس کی سوچ نے گھسیٹا کی زِندگی کو ٹوہنا شروع کر دیا۔ وہ قتل ہو گئی مگر اُس کی چھوڑی ہوئی ٹوہ زندہ رہی۔ آج یہ ٹوہ' اِس گھر اُور اِس کے وسنیکوں سے بھاری ہو گئی ہے...... آؤ مل کر اِسے ختم کرتے ہیں!

بیٹا

O

بولتے بولتے وہ تھک جاتی ہے اَور آنکھیں بند کر لیتی ہے۔ کچھ دیر خاموشی رہتی ہے۔ اُس کے سانسوں کی آواز ہموار ہونا شروع ہو جاتی ہے۔ وہ آنکھیں کھولتی ہے تو ہماری نظریں ملتی ہیں۔ وہ تکیے کو دُہرا کر کے، میری سہولت کے لیے گردن کے نیچے رکھ لیتی ہے۔ میں آگے بڑھتا ہوں تو وہ پھر آنکھیں بند کر لیتی ہے۔ میں جانتا ہوں کہ اُسے میرا اِنتظار تھا۔ میں اُس کی گردن کو اَپنے ہاتھوں میں لے کر دبانا شروع کر دیتا ہوں۔ اُس کی گردن پتلی اَور جلد بے جان سی ہے۔ میرے ہاتھ دباؤ بڑھاتے جا رہے ہیں۔ میں پہلے اِس کام سے خائف تھا مگر اَب مجھے لطف محسوس ہو رہا ہے۔ وہ آنکھیں بند کیے ساکت پڑی ہے اَور میرا جسم اَنجانی قوّت سے بھر گیا ہے۔ میں سمجھ گیا ہوں کہ وہ اَب نہیں رہی۔ میں کمر سیدھی کر کے کھڑا ہو جاتا ہوں۔ میرا سانس پھولا ہوا ہے۔ سامنے اُس کا بے جان جسم اَپنی سزا پا چکا ہے۔ اِس کے ساتھ ہی میری سزا کا آغاز بھی ہو چکا ہے۔ میں دُوسری عورتوں کی تلاش میں نکل پڑتا ہوں۔ وہ کل آٹھ تھیں جن میں سے سات، عمر رسیدہ اَور ایک قدرے کم عمر تھی۔ مجھے بوڑھی عورتوں کا گلا دبانے میں کوئی دِقت نہ ہوئی...... نہ وہ میری گرفت سے آزاد ہو سکتی تھیں اَور نہ ہی جان بچانے کے لیے بھاگ کر کہیں جا سکتی تھیں کہ اُن کے بڑھاپے نے پہلے ہی اُنھیں اَدھ موا کر رکھا تھا۔ آٹھویں عورت میرے سامنے تن کر کھڑی ہو جاتی ہے۔ ہم دیر تک ایک دُوسرے کو دیکھتے رہتے ہیں۔ مدافعت کے باعث، اُس کا سانس تیز تیز چل رہا ہے اَور

نتھنے پھولے ہوئے ہیں۔ پھر وہ خاموشی کو توڑتی ہے:

’’تم مجھے نہیں مار سکتے!‘‘

میں پوچھنا چاہتا ہوں کہ کیوں نہیں مار سکتا لیکن ضرورت اِس تجسس کو دبا جاتی ہے۔ میں اُس کی طرف قدم بڑھاتا ہوں۔ میں محسوس کر سکتا ہوں کہ میرے اَندر وہ اعتماد نہیں رہا جو اُس کے بولنے سے پہلے تھا۔ ایک اَنجانا خوف اَور جھجک مجھے جکڑ لیتی ہے!

میں اَپنے آپ کو ایک اَور قدم اُٹھانے پر مجبور پاتا ہوں۔ مجھے اچانک ایک طویل سفر طے کرنے کا احساس ہوتا ہے۔ میں آٹھ جانیں لے چکا ہوں اَور اَپنے ہاتھوں کی جانب دیکھتا ہوں: مجھے یقین نہیں آتا کہ یہ آٹھ گلے دبا چکے ہیں اَور نویں کو دبانے والے ہیں۔ مجھے کہنیوں سے لے کر اَپنے کندھوں تک' دونوں بازو شل اَور بے جان محسوس ہوتے ہیں۔ مجھے خوف گھیر لیتا ہے اَور میں لاچار سا بیٹھ جاتا ہوں۔ وہ میرے سامنے بیٹھ جاتی ہے:

’’دیکھو' تم میرے سوتیلے بھائی ہو...... میں تم سے چند گھنٹے بڑی ہوں۔ ہم ایک ہی باپ کی اَولاد ہیں۔ یہاں ہر باپ کو غیر اَہم بنا کر مار دیا جاتا ہے لیکن ہمارا باپ زِندہ ہے۔ چونکہ ہمارا باپ زِندہ ہے' اِس لیے ہمیں اُس کے آنے تک زِندہ رہنا ہے۔ وہ آئے گا' ضرور آئے گا۔ اُس کے آنے کے بعد ہمیں نئے دور کا آغاز کرنا ہے!‘‘

میں سکتے میں آ جاتا ہوں۔ مجھے اُس کی باتوں پر یقین نہیں آتا۔ وہ میری بہن ہو سکتی ہے۔ اگر وہ میری بہن ہے تو اُس نے اِتنے برس مجھے کیوں نہیں بتایا! کہیں ایسا تو نہیں کہ بہن ہوتے ہوئے بھی یہ اُن عورتوں کے منصوبوں میں شامل ہو جن کے تحت وہ اِس گھر پر قابض تھیں! اگر اَیسے ہے تو مجھے اِسے مار دینے میں کوئی تامل نہیں کرنا چاہیے۔ میں اُسے ختم کر دینے کا فیصلہ کر لیتا ہوں!

’’تمھارا ایک بیٹا بھی ہے جو گندم والی کوٹھری کے نیچے قید خانے میں ہے۔ وہ خاصا بڑا ہو گیا ہے۔ کچھ عرصہ پہلے' اُسی کی عمر کی ایک لڑکی کو تہ خانے میں پہنچا دیا گیا تھا۔‘‘

وہ میرے ردِّ عمل کا اِنتظار کرتی ہے۔

''کوٹھری کے جنوب مغربی کونے میں ایک تنگ سا راستہ نیچے اُترتا ہے۔ وہ دونوں' دِن کے وقت وہاں رہتے ہیں اَور رات کو باہر آ کر سروٹوں میں چھپے رہتے ہیں۔''

مجھے سامنے کھڑی عورت' اَپنی بہن کے بجائے اُنھیں عورتوں میں سے ایک لگتی ہے۔ اَب اُس کی مدافعت ختم ہو چکی ہے۔ مجھے وہ خائف نظر آتی ہے۔ اُس کے خوف کے باعث' میرا حوصلہ بڑھ جاتا ہے۔ میں اُٹھ کھڑا ہوتا ہوں۔ میں جان جاتا ہوں کہ وہ بھاگ جانا چاہتی ہے۔ میں آگے بڑھ کر اُسے گلے سے دبوچ لیتا ہوں۔ اُس کا گلا مضبوط اَور جلد تازہ ہے۔ اُس کے گلے کو دبانا اِتنا آسان نہیں لیکن میرے شل بازو یک دم متحرک ہو جاتے ہیں۔ میں اَپنی قوّت اَور دیوانگی کے باعث' اُس پر حاوی ہو جاتا ہوں۔ اُس کا بے جان جسم میرے ہاتھوں میں ڈولنے لگتا ہے اَور میں خود کو آزاد کرانے کے لیے' اُسے پرے دھکیل دیتا ہوں۔ وہ ایک مریل سی آواز کے ساتھ زمین پر گر جاتی ہے۔

میں آزاد ہو گیا ہوں۔ گھسیٹا' میرے اَندر زِندہ ہو کر پھر مر گیا ہے۔ وہ مکتی دے کر' مجھے بندی خانے میں ڈال گیا ہے۔ میں اِس قید سے رہائی چاہتا ہوں۔ میرے سامنے پیل پایے کی تھڑی پر شاید میرا باپ بیٹھا ہے۔ میں دیکھ سکتا ہوں کہ وہ بے چین ہے۔ منطقی طور پر دیکھا جائے تو وہ میرا ماضی ہے لیکن میں محسوس کرتا ہوں کہ وہ میرا حال ہے؛ اَور میرا بیٹا' جو اِس گھر میں کہیں چھپا ہوا ہے' مستقبل کے بجائے میرا ماضی ہے؛ اَور اَپنا مستقبل' میں خود ہوں! میں اَندھیرے میں ہوں اَور برآمدے کے اُس پار روشنی میری منتظر ہے...... میں روشنی سے خائف ہوں یا برہنہ حالت میں باہر جانے سے...... میری برہنگی کو کون دیکھے گا...... میرا باپ؟...... اِس ٹیلے پر ہم دونوں ہی برہنہ ہیں۔ وہ اَپنی برہنگی کے ساتھ یہاں سے بھاگا تھا' یقیناً بے لباس ہی لوٹا ہے...... اگر اُسے لباس مل گیا ہوتا تو واپس کیوں آتا! میں اگر تاریکی سے باہر نکلتا ہوں تو آنے والے دِنوں کی روشنی میرا لباس ہو گی اَور میرا باپ اُس کی کاٹ کو دیکھ کر مجھے پہچان جائے گا...... شناخت کا لمحہ' پل بھر سے زیادہ نہیں ہو گا!

باپ

O

مجھے ایک عجیب سے خوف کا احساس گھیر لیتا ہے۔ لگتا ہے کہ در و دیوار کچھ کہنا چاہ رہے ہیں۔ مجھے گھر میں داخل ہوئے کافی وقت بیت چکا ہے۔ میرا تجسس ایک عجیب سی دہشت میں تبدیل ہو گیا ہے۔ میرے اَوسان خطا ہو رہے ہیں اَور مجھے احساس ہو رہا ہے کہ میں گھر میں اکیلا نہیں ہوں اَور کوئی مجھے لگا تار دیکھے جا رہا ہے...... نہ صرف دیکھ رہا ہے بلکہ میری ہر حرکت پر اُسے اِختیار بھی ہے۔

اِس گھر پر ہمیشہ سے کسی غیر مرئی طاقت کا قبضہ رہا ہے۔ یہاں کچھ بھی معمول کے مطابق نہیں تھا۔ میں جب فرار ہوا تھا، مجھے یہ بھی معلوم نہیں تھا کہ مجھے کس طرف جانا ہے! تانگے میں سفر کرتے ہوئے جو فیرا بہت خوب صورت لگا کرتا تھا لیکن اُس رات، جب میں بے یقینی کے سفر پر نکلا تھا، مجھے مشکلات کا پہاڑ نظر آ رہا تھا۔ گھر مجھے جوتا پہننے سے منع کر دیا گیا تھا۔ مجھے زیادہ چلنے کی عادت بھی نہیں تھی۔ پہلے مجھے نہر پر چلتے ہوئے پکی سڑک پر پہنچنا تھا۔ اس کے بعد فیصلہ کرنا کہ مجھے کس طرف جانا ہے، میرے بس سے باہر تھا۔ وہاں سے میں حافظ آباد جا سکتا تھا یا پھر گوجرانوالہ...... آگے کا مجھے معلوم نہیں تھا۔ لیکن مجھے کہیں نہ کہیں جانا ضرور تھا۔

میں نے گوجرانوالہ جانے کا فیصلہ کیا کیوں کہ میں گھنٹہ گھر سے واقف تھا مگر میں یہ بھی نہیں جانتا تھا کہ مجھے وہاں تک کیسے پہنچنا ہے۔ میں خالی ہاتھ تھا اَور ایسی دُنیا سے آیا تھا جو اَپنے عصر کا حصہ نہیں تھی۔ وہاں نہ تو کوئی معاشی کشمکش تھی اَور نہ ہی آگے بڑھ کر معاملات کو طے کرنے کا دستور

تھا۔ وہ ایسی دُنیا تھی جہاں وقت رُک گیا تھا اَور میں اُس رُکے ہوئے وقت کی گھڑی کا زنگ آلود پرزہ تھا۔ مجھے وقت کے ساتھ چلنے کے لیے اُس گھڑی سے باہر نکلنا تھا۔ میں گھر سے باہر نکلا تو مجھے لگا کہ میں ایک اساطیری ماحول میں آ گیا ہوں۔ گوجرانوالہ سے حافظ آباد جانے والی سڑک پر اَب صورتِ حال مختلف تھی۔ تانگے غائب ہو چکے تھے اَور کئی رنگوں کی بسیں چل رہی تھیں۔ لوگوں کے لباس میں بھی تبدیلی آ چکی تھی۔ تہ بند اَور کرتے کی جگہ، شلوار قمیص نے لے لی تھی۔ پیدل چلنے والوں میں، بائیسکل سواروں کا اضافہ ہو گیا تھا۔ میں نے سوچا کہ قلعہ دیدار سنگھ جا کر معراج جولاہے سے ملوں مگر پھر خیال آیا کہ یہاں تو وقت متواتر چلتا رہا ہے اَور معراج تو بوڑھا ہو چکا ہوگا اَور کیا پتا کہ وہ اِس دُنیا میں ہے بھی کہ نہیں!

میں بے یقینی اَور خوف کی جلو میں نہر کے کنارے کنارے، شمال کی طرف بڑھتا رہا۔ میرے اُستادوں نے مجھے قطب ستارے اَور کھتیوں کے بارے میں بتا رکھا تھا۔ میں تھوڑا چلنے کے بعد رُکتا اَور قطب ستارے کو دیکھ لیتا: میں جانتا تھا کہ اُسے روشنی کی گرد میں چھپ جانے تک وہیں رہنا ہے اَور اُس کے گرداگرد ستاروں کے جھرمٹ اپنی جگہیں بدلتے رہیں گے۔ جب میں نے تھابل والا پل پار کیا تو دُبِّ اکبر اَور دُبِّ اصغر اَپنی جگہیں تبدیل کر چکے تھے: میں سمجھ گیا کہ مجھے یہاں تک پہنچنے میں دو گھنٹے سے زیادہ کا وقت لگا ہے۔ میں جانتا تھا کہ پل پار کرنے کے بعد وہ موڑ آنے والا ہے جہاں سے گزرتے ہوئے رہزنوں کا خوف سر پر سوار رہتا ہے۔ میرے پاس اِمکانات کی کمی تھی...... یا تو میں رہزنوں کے خوف کی وجہ سے واپس چلا جاتا اَور یا پھر اِس خوف پر قابو پا کر، دُنیا کے اُس بحر میں غوطہ زن ہو جاتا جس کی گہرائی سے میں واقف نہیں تھا۔ گو میں گومگو کے عالم میں چلتا رہا۔ مجھے محسوس ہوتا کہ کوئی میرے پیچھے پیچھے چلا آ رہا ہے: مارے خوف کے، میں تیز تیز چلنا شروع کر دیتا؛ میرے تعاقب میں چلنے والے کی رفتار میں بھی تیزی آ جاتی؛ میں رُک جاتا تو وہ بھی رُک جاتا: میں پیچھے مڑ کر دیکھنا چاہتا مگر خوف مجھے ایسا کرنے سے روک دیتا اَور میں سوچتا کہ سیدھ میں دیکھنے اَور چلتے چلے جانے ہی میں عافیت ہے: میں پھر چلنا شروع کر دیتا۔ میرا بدن پسینے میں

شرابور ہو گیا' کن پٹیوں میں ٹھک ٹھک کی آواز آنے لگی اور مجھے سانس لینے میں دُشواری ہو رہی تھی...... یوں لگتا تھا کہ میرا سانس کسی بھی وقت بند ہو سکتا ہے۔ میں نے اپنی طاقت کو مجتمع کر کے یک دم پیچھے مڑ کر دیکھا تو پٹڑی دُور تک خالی تھی۔ میں نے ایک لمبا سانس بھرا اور چلنے لگ گیا۔

میں جب سڑک پر پہنچا تو روشنی ہونا شروع ہو گئی تھی۔ پنڈلیوں اور رانوں میں کھچاؤ کی وجہ سے درد تھا اور پیروں میں چھالے پڑ گئے تھے۔ میں کہیں لیٹ کر آرام کی نیند سو جانا چاہتا تھا لیکن یہ ممکن نہیں تھا۔ چند لمحے پل پر بیٹھنے کے بعد' میں گوجرانوالہ کی طرف چل پڑا۔ اِکا دُکا بائیسکل سوار پاس سے گزرنا شروع ہو گئے تھے۔ اچانک ایک شخص نے میرے برابر آ کر اپنا سائیکل روکا اور روشنی ملے اندھیرے میں میرے چہرے کی طرف دیکھا:

''باباجی' کہاں جائیں گے؟

میں کچھ دیر اُسے دیکھتا رہا۔ مجھے اپنے گلے میں گھٹن کا احساس ہو رہا تھا' لگ رہا تھا کہ میں بول نہیں سکوں گا۔ تھکاوٹ' جھجک اور پہچان کا خوف میرے گلے کو دبا رہے تھے۔ شناخت کیے جانے کی صورت میں' میں متوقع سوالات کا جواب دینے سے خوف زدہ تھا۔ ہمارا گھر لوہے کی دیواروں سے بند تھا اور اُس کے اندر کوئی جھانک بھی نہیں سکتا تھا۔ میں وہاں سے بھاگ آیا تھا لیکن اُس کے تقدس اور دستور کا احترام مجھ پر واجب تھا۔ اُس کے کسی فرد کو کبھی باہر نہیں دیکھا گیا تھا یا مجھے ایسے ہی بتایا گیا تھا۔ میں کسی کی نظر میں نہیں آنا چاہتا تھا۔

''گھنٹہ گھر۔''

میں نے ایک لمبا سانس لیا اور اپنے اندر اعتماد پیدا کرتے ہوئے جواب دیا۔ مجھے اپنی آواز کھوکھلی سی لگی: میں جانتا تھا کہ یہ خوف کی وجہ سے ہے اور شاید بائیسکل سوار اِس طرف دھیان ہی نہ دے!

''بس کا کرایہ ہے؟''

اُس نے پھر میرے چہرے کی طرف دیکھا۔ میرے پاس کرایے کے لیے پیسے ہوتے بھی' تو شاید پھر بھی میں بس میں سفر نہ کر سکتا۔ میں اُس کی تجسس بھری نظروں سے قدرے بیزار ہو گیا۔

''نہیں!''

میں قطعیت سے جواب دے کر چل پڑا۔

''سائیکل چلا سکتے ہو؟''

''نہیں!''

''بیٹھو'میں تمھیں لے جاتا ہوں...... بارہ میل کا فاصلہ پیدل طے کرنا' آسان کام نہیں!''

میں تذبذب میں پڑ گیا...... نہ سائیکل پر کبھی بیٹھا تھا' نہ مجھے اَندازہ تھا کہ اِس پر کیسے بیٹھتے ہیں۔ میں خاموشی سے اُسے دیکھتا رہا۔

''کیریئر پر بیٹھ جاؤ!''

اُس نے کیریئر کو ہاتھ لگاتے ہوئے کہا:

''اَور' زیادہ ہلنا نہیں!''

میں سیٹ کے سپرنگ پکڑ کر بیٹھ گیا اَور بائیسکل چل پڑا چند قدم وہ ڈگمگایا اَور پھر متوازی رفتار سے چلنے لگا۔ ہم قلعہ دیدار سنگھ پہنچے تو روشنی ہو چکی تھی۔ بازار میں سے گزرتے ہوئے' ہم نے دیکھا کہ وہاں ابھی نیند کی کیفیت تھی۔

''میرا نام قدوس ہے۔''

قلعہ دیدار سنگھ میں سے گزرتے ہوئے وہ بولا۔

میں خاموش رہا اَور بائیسکل چلتا رہا۔ میں گر جانے کے ڈر کی وجہ سے' اِدھر اُدھر نظر دوڑانے کے بجائے' قدوس کی کمر کو دیکھے جا رہا تھا۔ مجھے بائیسکل رُکتے ہوئے محسوس ہوا۔ وہ نیچے اُترا تو میں نے دیکھا کہ ہم چَوبچّے کے پاس کھڑے تھے۔ وہ بائیسکل کو سٹینڈ پر کھڑا کر کے' سڑک کے دُوسری جانب کھیتوں میں چلا گیا۔ بیریاں' اَب اُتنی گھنی نہیں تھیں؛ اُن کی عمر نے اُنھیں وِرلا کر دیا تھا۔ میں دیر تک شاخوں میں سے چھنتی روشنی کو دیکھتا رہا۔ اچانک مجھے پیاس کا احساس ہوا۔ نل چلا کر پانی پینے لگا تو مجھے معراج جولاہا اَور اُس کے گھوڑے کی کنوتیاں یاد آ گئیں۔ میرے پیٹ کے اَندر

کہیں ایک بلبلا سا بن کر ٹوٹ گیا۔ مجھے اپنا وجود اَور رُوح خالی خالی لگی اَور مجھے گھر یاد آنے لگا......

اِس یاد کو ختم کرنے کے لیے، میں نے چَوبچّے میں اَپنا منہ دھویا۔ قدوس آ گیا تھا۔

''بابا جی، منہ دُوسری طرف کرو!''

مجھے نل چلائے جانے کی آواز آتی رہی۔

''میں تمھیں دیکھ کر ڈر گیا تھا۔''

قدوس نے بائیسکل چلانا شروع کرتے ہوئے کہا:

''میں کئی سالوں سے، اتوار کے سوا، روزانہ گوجرانوالہ جا رہا ہوں۔ تمھارے جیسا آدمی، میں نے پہلے کبھی نہیں دیکھا تھا۔ پہلے میں سمجھا کہ تم کوئی لٹیرے ہو لیکن تمھاری جسمانی حالت دیکھ کر مجھے لگا کہ تم نے بوڑھے بزرگ کا رُوپ دھار رکھا ہے۔ وہ وقت بھی ایسا تھا جب رات کی ڈیوٹی والے، اپنا کام ختم کر کے گھروں کو جا رہے ہوتے ہیں۔ تم مجھے تھکے ہوئے لگے۔ میں سمجھ گیا کہ ساری رات کوئی حکم پورا کرتے رہے ہو۔ میں نے تمھارے پیر دیکھے تو وہ مجھے عام اِنسانوں کے سے نہ لگے۔ جب میں نے تمھارا چہرہ غور سے دیکھا تو مجھے تم پر ترس آ گیا۔ میں جان گیا کہ تم میرے جیسے ہی ہو...... مٹی اَور ہوا کے بنے ہوئے! میں نے سوچا: زیادہ سے زیادہ مجھے مار ہی دو گے نا؛ یا شاید تمھیں میری ضرورت ہو...... میں رُک گیا اَور تمھیں اپنے ساتھ لے لیا!''

قدوس نے بات ختم کر کے گانا شروع کر دیا۔ میں نے زندگی میں کبھی گانا نہیں سنا تھا اَور میں سُروں سے ناواقف تھا۔ میں اُسے غور سے سنتا رہا۔ تھوڑی دیر بعد مجھے سُروں کی پہچان ہونے لگی۔ میں نے اُستادوں سے شاعری پڑھ رکھی تھی اَور کسی حد تک میں شعر کے آہنگ سے شناسا تھا۔ قدوس مجھے بے سُرا سا لگا لیکن اُس کی آواز میں ایک مٹھاس ضرور تھی جو مجھے اُس کی شخصیت کا حصہ لگی۔ گاتے ہوئے، بائیسکل چلانے سے اُس کا سانس پھولنے لگا تو اُس نے گانا بند کر دیا۔

''ہم پٹیالے کے گوجر ہیں۔ میرے دو بھائی بھینسوں کا کاروبار کرتے ہیں۔ مجھے ایک فیکٹری میں گیٹ کیپر کی نوکری مل گئی۔ ہمارے گاؤں کا ایک آدمی وہاں کاری گر تھا۔ وہ ہوشیار پور سے

آئے ہیں۔ وہ اپنے کام میں ماہر تھا' اِس لیے اُس کی سفارش کام آ گئی۔ مجھے ایک سو پانچ روپے ماہوار پر رکھ لیا گیا۔ یہ تنخواہ' گھر کے خرچوں کے لیے کافی ہے۔ بھینسوں کے دُودھ اَور اُن کی فروخت کی رقم' ہم بچھڑے اَور کم زور جانور خریدنے پر صرف کرتے ہیں۔ ہمارے پاس اَب دس بھینسیں ہو گئی ہیں۔''

مجھے قدوس کی شخصیت میں ایک دِل کش سی معصومیت نظر آئی۔ میں لوگوں کے ایسے پہلوؤں سے واقف نہیں تھا۔ قدوس مجھے کوئی آسمانی مخلوق لگا جیسے حقیقت کے ساتھ اُس کا کوئی واسطہ نہ ہو۔ وہ میرے رُکے ہوئے وقت کے سمندر میں' ایک پتھر کی طرح آ گرا تھا...... یہ ایک وزنی پتھر تھا اَور لہریں' کناروں سے ٹکرا ٹکرا کر اُنھیں کھوکھلا کر رہی تھیں۔ میں سوچنے لگا کہ یہ کنارے کس قدر کم زور ہیں اَور میں کتنا بے بس ہوں! قدوس کی شخصیت کی وسعت میری گرفت سے باہر تھی۔

''میں نوکھر کا رہنے والا ہوں۔ وہاں گئے ہو کبھی؟''

نور پور کینال اَور ارگن مائنز کے جنوب میں' سوائے ساہ' مین کے' میں نے کچھ نہیں دیکھا تھا۔ میں نے بولنے کے بجائے نفی میں سر ہلا دیا۔ مجھے نہیں معلوم کہ وہ کیا سمجھا!

ایک ہی زاویے پر بیٹھے بیٹھے' میں تھک گیا تھا۔ پچھلا پیدل سفر بھی اِس تھکاوٹ کا سبب تھا۔ میری دائیں ٹانگ میں خون کی گردِش بند ہو گئی تھی اَور اُس میں سوئیاں سی چبھ رہی تھیں۔ پیروں میں چھالوں کی وجہ سے جلن کا احساس ہو رہا تھا۔

''کہاں کے رہنے والے ہو' مقامی کہ مہاجر؟ ایک ہی بات ہے۔ اَب یہ فرق مٹ چکا ہے!''

مجھے قدوس کی باتوں سے بیزاری کا احساس ہونے لگا۔ میں چاہتا تھا کہ وہ مجھے جلد اَز جلد گھنٹہ گھر اُتار دے...... مگر اِس کے بعد کیا ہو گا!

قدوس خاموش ہو گیا۔

ہم شہر کی حدود میں داخل ہو گئے تھے۔ حافظ آباد سے آنے والی سڑک' اَب آباد ہونا شروع ہو گئی تھی۔ تانگوں کی تعداد میں اضافہ ہو گیا تھا۔ پیدل چلنے والوں کی تعداد بھی بڑھ گئی تھی۔ قدوس

نے بائیسکل روکا تو میں اپنی ٹانگوں پر کھڑا نہ ہو سکا۔ میری ایک ٹانگ بے جان تھی اور میری آنکھوں کے سامنے اندھیرا چھا گیا۔ میرے منہ کا ذائقہ بھی کڑوا ہو گیا تھا۔ مجھے اپنے اِردگرد کی ہر شے، گھومتے ہوئے محسوس ہوئی۔ میں کاٹھی کو پکڑے، آنکھیں بند کیے کھڑا رہا۔ دِھیرے دِھیرے میری ٹانگ میں جان آنے لگی۔ میں نے آنکھیں کھولیں تو ہم ایک عمارت کے سامنے کھڑے تھے۔ قدوس مجھے غور سے دیکھ رہا تھا اور اُس کے چہرے پر پریشانی کے آثار تھے۔ پھر شاید میرے چہرے کا رنگ واپس آنا شروع ہو گیا تھا۔ وہ مسکرایا:

"میں تو پریشان ہو گیا تھا۔"

میں اچانک خوف زدہ ہو گیا۔

"یہ وہ کارخانہ ہے جہاں میں کام کرتا ہوں۔ میں تمھیں ملازمت دِلوانے کی کوشش کر سکتا ہوں۔ اِس کا مالک، یونین کو بے اَثر کرنے کے لیے ایسے آدمیوں کو ملازم رکھتا ہے جن کی کوئی شخص ضمانت دے سکے۔ ملازمت کرو گے؟"

میں ابھی ماں کے پیٹ سے باہر نہیں آیا تھا۔ قدوس کی باتیں مَیں صرف سن سکتا تھا، اُس میں حصہ لینے کی اہلیت مجھ میں نہیں تھی۔ میں ملازمت کیا کرتا...... میں تو اِس سیارے کا باسی ہی نہیں تھا۔ مجھے ابھی پیدا ہونا تھا اور دُنیا میں آنے کے بعد چیخ کے ساتھ رونا تھا۔ میرے پھیپھڑے ابھی تک بند تھے جنھیں ابھی پہلی دفعہ پھولنا تھا اور اِس کے ساتھ ہی روشنی سے میری آنکھوں کو چندھیا جانا تھا؛ اور شہد چسوا کر میرے منہ کی کڑواہٹ کو دُور کیا جانا تھا۔ میں تو خود کو بھی نہیں جانتا تھا، اوروں کو کیسے جان پاتا اور کام کیا کرتا! میں روشنی میں تو آ گیا تھا مگر اپنے سامنے سے اندھیرے کو ہٹا نہیں سکا تھا۔ کوئی بھی کام کرنے سے پہلے، میرا خود کو جاننا ضروری تھا اور خود کو جاننے کے لیے میرا پیدا ہونا ضروری تھا۔ ہم جس عمارت کے سامنے کھڑے تھے، وہ ایک کریہہ صورت، بدنما سی عمارت تھی۔ اُس کے باہر لوہے کا بڑا سا دروازہ تھا جس کے اندر دیکھا نہیں جا سکتا تھا اور نہ ہی کوئی نظر باہر آ سکتی تھی۔ ایک ایسی ہی جگہ سے تو میں آیا تھا۔ کیا سب جگہیں ایک جیسی ہوتی

ہیں......اگر اَیسا ہے تو قدوس اَندر بند کیوں نہیں اَور وہ مختلف کیوں ہے!

''چلو!''

قدوس کے لہجے میں حکم تھا اَور میں اطاعت کا عادی تھا۔

دروازے سے باہر، تھوڑے سے فاصلے پر، دیوار کے ساتھ، بہت سارے بائیسکل ترتیب سے کھڑے تھے۔قدوس نے اَپنا بائیسکل وہاں کھڑا کیا اَور مجھے چلنے کا اِشارہ کیا۔ چلنے میں مجھے قدرے دُشواری کا سامنا تھا کیوں کہ میری ٹانگ میں خون کی گردِش ابھی پوری طرح بحال نہیں ہوئی تھی۔

دروازہ کھلنے پر ہم اَندر داخل ہوئے۔ کھلی جگہ کے بعد عمارت تھی جس کے پہلو میں دروازہ تھا۔ قدوس اَندر داخل ہوا۔ میں اُس کے پیچھے پیچھے چل رہا تھا۔اَندر ایک بہت بڑے کمرے میں، کئی چھوٹے چھوٹے کمرے بنے ہوئے تھے۔وہ ایک کمرے کے سامنے کھڑے ہو کر میرا اِنتظار کرنے لگا کہ میں ہولے ہولے چلنے کی وجہ سے کافی پیچھے رہ گیا تھا۔میں اَپنی حیرت اَور گھبراہٹ پر قابو پانے کی کوشش کرتے ہوئے اُس کے پاس پہنچا تو وہ مجھے پیچھے آنے کا اِشارہ کرکے، کمرے میں داخل ہو گیا۔ میں اَندر جا کر سکتے میں آ گیا۔میرے سامنے سفید لباس میں ایک آدمی بیٹھا تھا جس کے وجود سے دبدبہ جھلک رہا تھا۔اُس کے سامنے ایک بہت بڑی میز تھی جس پر کاغذات سلیقے سے رکھے ہوئے تھے۔میں نے محسوس کیا کہ مجھے دیکھتے ہی، اُس کے چہرے پر پہلے ناگواری اَور پھر دِلچسپی پھیل گئی!

''میاں صاحب، یہ قابلِ اعتبار آدمی ہے......اِسے کام پر رکھ لیں!''

میاں صاحب نے مجھے غور سے دیکھا۔اُس کے ہونٹوں پر عجیب سی مسکراہٹ تھی۔ یوں لگا کہ وہ مجھے دیکھے ہی چلے جانا چاہتا ہے۔

''پہلے کہیں کام کیا ہے؟''

میں کسی حد تک اَپنے حواس پر قابو پا چکا تھا۔میں نے نفی میں سر ہلایا۔

''پڑھے لکھے ہو؟''

اُس کے لہجے میں تمسخر تھا۔

میرا سَر اِثبات میں ہل گیا۔

''کتنا؟''

میں بولنے سے خائف تھا مگر اچانک میرا جی چاہا کہ میں اپنی پڑھائی کے متعلق بات کروں۔ مجھے اِردگرد کی ہر شے مصنوعی لگی اَور محسوس ہوا کہ ہر سو بکھرے تصنع سے پُر ماحول میں صرف میں ہی ایک حقیقت ہوں۔ میرے اَندر سے آواز آئی کہ بولنا ہی زِندگی ہے۔ مجھے قدوس کی باتیں یاد آنے لگیں کہ وہ سارے رستے کچھ نہ کچھ بولتا ہی رہا تھا۔ میاں صاحب بھی باتیں کرنا چاہتے تھے۔ میں گھر سے باہر آ کر' گھر میں نہیں رہ سکتا تھا۔ اَب مجھے نئی زِندگی میں قدم رکھنا تھا۔

''کافی!''

مجھے اَپنی آواز کھوکھلی سی لگی۔

''یہ پڑھ سکتے ہو؟''

اُس نے میز کی طرف اِشارہ کرتے ہوئے پوچھا:

''ویسے میں تو اَن پڑھ ہوں۔ یہ سب ملاقاتیوں کے لیے رکھا ہے!''

وہاں تین اَخبار پڑے تھے...... ایک انگریزی کا اَور دو اُردو کے۔

''انگریزی پڑھ سکتے ہو؟ میں تمھارے پڑھنے ہی سے تمھاری تعلیم کا اَندازہ کر سکتا ہوں!''

میں نے انگریزی کا اَخبار اُٹھایا۔ اَپنی حیرت چھپائے بغیر' دیر تک اُسے دیکھتا رہا۔ پھر میں نے کچھ سطروں پر نظر دوڑائی' اُنھیں سمجھا اَور اعتماد کے ساتھ پڑھ ڈالیں۔ میاں صاحب اَور قدوس حیرت زدہ تھے۔ قدوس ایسے مسکرایا جیسے یہ اُسی کا کارنامہ ہو!

''تم ابھی سے ملازمت پر ہو!''

''میاں صاحب' اِسے کپڑے اَور جوتے مل جائیں تو......''

قدوس نے اَپنا فقرہ ادھورا ہی چھوڑ دیا۔

○

میرے لیے سفید شلوار قمیص اَور کالی پشاوری چپل منگوائی گئی۔ نہانے کے بعد میں نے جب آئینے میں اپنی شکل دیکھی تو مجھے اپنے چہرے پر میاں صاحب کی ناگواری اَور دِلچسپی اَور قدوس کی حیرت اَور خوف کے تاثرات درست لگے۔ میری ڈاڑھی اَور سَر کے بال غیر مناسب حد تک لمبے اَور بے ترتیب تھے۔ میں نے زندگی میں آئینہ بہت ہی کم دیکھا تھا اَور آخری بار دیکھے ہوئے کئی برس بیت چکے تھے۔ مجھے اپنی شکل یاد نہیں تھی۔ میں نے محسوس کیا کہ میرے اِردگرد کے لوگ مجھ سے مختلف تھے۔ میں ایسی دُنیا کا باسی رہا تھا جس کا کوئی وجود ہی نہیں۔ اپنا حلیہ مجھے بوڑھی عورت کی دُنیا کا حصہ لگا جس کا خیال آتے ہی میں نے خود کو غیر محفوظ محسوس کیا: اَب تک وہی میری محافظ رہی تھی۔ مجھے کبھی کسی ضرورت کا احساس نہیں ہوا تھا۔ میں نے دیکھا کہ نئی دُنیا میں ضرورتیں بکھری پڑی تھیں...... یہاں ہر فرد ایک ضرورت تھا؛ میاں صاحب میری اَور میں اُن کی ضرورت بن گیا تھا۔ چنانچہ میں نے سوچا کہ اَب مجھے قدوس اَور میاں صاحب کی دُنیا میں رہنا چاہیے!

میاں صاحب نے سرامک کا ایک کارخانہ لگا رکھا تھا جس کی کاروباری شاخیں اَور دفاتر بیرونِ ملک بھی پھیلے ہوئے تھے۔ رہائش کے ساتھ مجھے تنخواہ بھی ملنے لگی تھی۔ میں اُس نظام کا حصہ بن کر ایسی دُنیا میں داخل ہو چکا تھا جہاں زِندگی کا اَپنا ہی ڈھنگ تھا۔ اِس دُنیا میں جذبات بالکل نہیں تھے اَور یہاں سب کچھ ضرورت کے تحت وقوع پذیر ہو رہا تھا اَور میں تو پہلے ہی جذبات سے

عاری، صرف ایک وجود تھا...... میرے اَندر خلا ہی خلا تھا...... میں اِس خلا کو پُر کرنا چاہتا تھا۔ مجھے جس جگہ کھڑے کیا گیا، وہاں ہر طرف ضرورتیں ہی ضرورتیں منہ کھولے کھڑی تھیں جو میرے اَندر بھی سرایت کر گئیں۔

میاں صاحب

بعلں ایہ

O

قدوس میرا چہیتا ملازم تو نہیں تھا لیکن اُسے میرے دفتر میں آنے جانے کی کھلی اجازت تھی۔ وہ مجھے دیسی گھی لا کر دیا کرتا تھا کہ دیسی گھی شروع ہی سے میری کمزوری تھا۔ ہمارا آبائی گھر سیالکوٹی دروازے کے اندر، ممتاز واچ ہاؤس کے ساتھ والی گلی میں تھا۔ یہ ایک چھوٹا سا گھر تھا جس کی بالائی منزل میں ہم اور نیچے کوئی اَور خاندان رہتا تھا۔ ہمیں ڈیوڑھی میں سے گزر کر، سیڑھیوں کے راستے، اُوپر جانا ہوتا تھا اور قاعدے قانون کے مطابق ڈیوڑھی، نیچے والوں کی ملکیت تھی۔ ہمارا وقت بے وقت ڈیوڑھی کا دروازہ کھٹکھٹانا، اُنھیں ناگوار گزرتا...... اُس وقت تو یہ بات ہمیں چبھتی تھی لیکن آج جب میں سوچتا ہوں تو محسوس کرتا ہوں کہ وہ اِس معاملے میں حق بہ جانب تھے۔ ہم پانچ بھائی تھے جن میں سے، دو بڑوں کے بعد، تین کا شمار مشٹنڈوں میں ہوتا تھا۔ میں سب سے چھوٹا تھا، اِس لیے سب سے زیادہ آوارہ گردی مجھے ہی کرنا ہوتی۔ میں فجر کی اذان سے تھوڑی دیر پہلے گھر آجاتا تاکہ والد صاحب کو وضو کے لیے پانی دے کر، دو مشٹنڈوں کی ٹھکائی کرواسکوں۔ نیچے والوں کو آدھی رات اَور فجر کے درمیان، تین مرتبہ ہوڑا کھولنا پڑتا۔ وہ شریف قسم کے کاروباری لوگ تھے جب کہ ہم اِس طرح کھوہ کھٹ کے کام چلا رہے تھے۔ میں ہر شام، اکھاڑے میں جا کر ورزش کرتا۔ میرا اکھاڑا، شیراں والا باغ کے سامنے، جی ٹی روڈ اَور ریلوے لائن کے درمیان واقع تھا۔ ورزش کے بعد وہاں دیر تک باتیں ہوتیں جو دنگلوں سے شروع ہو کر خوب صورت لڑکیوں اَور لڑکوں پر ختم ہوتیں۔ پرانے لوگ کہتے کہ

کہ اِن کاموں میں دِلچسپی پہلوانوں کا شیوہ نہیں جب کہ ہمارے جیسے پچھیرے اِسے طاقت کا زیاں تصوّر نہ کرتے۔ یہاں سے گفتگو بدمعاشی اَور جی داری کی طرف نکل جاتی۔ پھر ہم وہاں سے اُٹھ کر لاہوری دروازے کے اَندر جا کر کسی تھڑے پر بیٹھ جاتے اَور بحث جاری رکھتے۔ اُسی دوران میں کسی گھر سے سالن آ جاتا اَور کوئی تندوری روٹیاں لے آتا: گرمیوں میں کچّی لسّی اَور سردیوں میں چائے کا دور بھی چلتا۔ میں اپنے حالات کی وجہ سے کھانا نہیں لاسکتا تھا لیکن مجھے اُس محفلِ شیراز میں شامل ہونے میں کوئی جھجک محسوس نہ ہوتی۔ اِسی بیچ کوئی دیسی گھی کا ذِکر چھیڑ دیتا کہ اِس کے استعمال سے جُثہ، پتھر اَیسا ہو جاتا ہے۔

بات چل رہی تھی کہ نیچے والے رات گئے ہمارے دروازہ کھٹکھٹانے کی وجہ سے نکونک آئے ہوئے تھے مگر وہ ڈر کے مارے شکایت نہیں کرتے تھے۔ ایک دفعہ کا ذِکر ہے کہ اُن کے کسی فرد نے دروازہ کھولنے کے بعد وقت بتانا چاہا تو میں اُسے کندھے سے دھکیلتے ہوئے سیڑھیاں چڑھ گیا۔ اگلے دِن جب میں نے دُوسرے مشٹنڈوں کو یہ واقعہ سنایا تو وہ دونوں میرے ساتھ دیر تک ہنستے رہے کہ وہ بھی دو ایک مرتبہ اُن کے ساتھ یہی سلوک کر چکے تھے۔

اصل قصہ یہ ہے کہ میں نے اکھاڑے میں کمہاروں والا کام شروع کر دیا۔ میں نے چاک پر برتن بنانا سیکھے اَور پھر اُنھیں بھٹی میں پکانے لگا۔ یہ کورے پیالے اَور ٹھوٹھے وغیرہ پھیری والے خرید کر لے جاتے۔ میں کئی سال تک یہی کام کرتا رہا۔ پھیری والے غربت کی وجہ سے جسمانی طور پر کم زور لوگ، میری رقم مارنے یا مقررہ وقت پر اَدا نہ کرنے کی جرأت نہیں کر سکتے تھے۔ میں بچت بھی کرتا رہا اَور ساتھ ساتھ اِس کاروبار کو پھیلاتا بھی رہا۔ دیسی گھی کی عادت مجھے اُنھیں دِنوں پڑی تھی۔ میں شام کو ورزش کرتا اَور رات کو لاہوری دروازے کے اَندر، تھڑے پر کھانے کے دوران میں، یار لوگوں کو، دیسی گھی مہیا کرتا۔ دیسی گھی کے حصول کے سلسلے میں میری قدوس سے ملاقات ہوئی۔ وہ گوجر تھا اَور اُسے خالص دیسی گھی کی پہچان تھی۔

اُس دِن جب قدوس میرے دفتر میں آیا تو اُس کے ساتھ کمرے میں داخل ہونے والی مخلوق

کو دیکھ کر میں سکتے میں آ گیا۔ اُس کے اچانک میرے سامنے آ جانے سے مجھے یوں لگا جیسے کسی نے میرے کان پر بینی مار کر' مجھے ناکارہ کر دیا ہے مگر میں نے اُن دونوں پر اپنا تاثر ظاہر نہ ہونے دیا: اگر میں یہ تاثر چھپا نہ سکتا تو میرا اکھاڑے میں جانے کا کیا فائدہ تھا...... اکھاڑہ ہی سکھاتا ہے کہ مدِّمقابل' اپنی طاقت یا مخالف کو لگائی ضرب کا اندازہ نہ کر سکے! وہ عجیب حلیے کا مالک تھا۔ اُس کی ڈاڑھی اَور سَر کے بال بے ڈھنگے تھے اَور مَیل کی وجہ سے آپس میں جُڑے ہوئے تھے اَور گچھوں میں کندھوں پر لٹک رہے تھے۔ ڈاڑھی کافی گھنی تھی: لگتا تھا کہ جب سے اُگی تھی' اُسے سنوارا نہیں گیا تھا؛ اَور سَر کے بال تو چڑیوں کے گھونسلوں کی طرح ہر طرف بکھرے ہوئے تھے۔ کوئی کوئی بال کالا تھا جس کی وجہ سے ڈاڑھی اَور سَر کے باقی بالوں کی سفید رنگت اَور بھی نمایاں ہو گئی تھی۔ میں اُسے حیرت سے دیکھتے ہوئے مسکراتا رہا۔ اچانک ہماری نظریں ملیں تو اکھاڑے کی تربیت نے مجھے بتایا کہ میرے سامنے کوئی عام آدمی نہیں ہے اَور اِس خاص آدمی کو ہاتھ سے جانے نہیں دینا چاہیے۔ جب اُس نے انگریزی اَخبار پڑھا تو میرا شک' یقین میں بدل گیا۔

میں ایک کامیاب آدمی ہوں اَور کامیابی کے سب گر' میں نے اکھاڑے میں سیکھے۔ بہت کم لوگ جانتے ہیں کہ اکھاڑا' جسمانی تربیت کے ساتھ ساتھ ذہنی تربیت کا کام بھی انجام دیتا ہے۔ عام تاثر یہ ہے کہ پہلوان' احمق اَور کسی حد تک بَونگے ہوتے ہیں لیکن اَیسا بالکل نہیں۔ وہ قطعاً احمق اَور بَونگے نہیں ہوتے: وہ صرف لوگوں کو اَیسا تاثر دیتے ہیں۔ جس طرح ایک عام آدمی کے لیے پہلوان کو اَکھاڑے میں چِت کرنا' ناممکن ہے' اُسی طرح زِندگی کے اکھاڑے میں بھی اُسے مات دینا محال ہے۔ میں نے جب برتن بنانے کا کام سیکھا' کسی کو کانوں کان اِس کی خبر نہ ہونے دی۔ اکھاڑے میں ہمیشہ اَپنے داؤ پیچ چھپا کر رکھے جاتے ہیں۔ کچھ داؤ تو بالکل واضح ہوتے ہیں' ہر کوئی اُنھیں لگانا جانتا ہے اَور پہلوانی نفاست اُس عام سے داؤ کو بھی کارگر کر جاتی ہے۔ مجھے معلوم تھا کہ مٹی کے کچے برتنوں کا زمانہ ختم ہونے والا ہے اَور چینی کے برتن اُن کی جگہ لے لیں گے۔ چنانچہ میں نئے راستے پر چل نکلا۔ پیالے پیالیاں بھٹی سے نکال کر' میں اُن پر اَپنے ہاتھ سے کئی قسم کے

گل بُوٹے بناتا۔ کوئی نقش دُوسرے نقش سے لگا نہیں کھاتا تھا۔ کہا جاتا ہے کہ کشمیری کی کوئی ذات نہیں ہوتی اور وہ ہر فن مولا ہوتا ہے۔ دِھیرے دِھیرے، میں بہتر قسم کے نقش بنانے لگا۔ اور پھر مجھے پتا چلا کہ اِس کام کے لیے مشینیں بھی آ گئی ہیں جن کی بدولت تمام نقوش ایک جیسے بنتے ہیں۔ چنانچہ میں نے یہ کام گجرات شہر سے کروانا شروع کر دیا۔ میں نے گھر کا نیچے والا حصہ خرید کر اَپنے بھائیوں کے حوالے کیا اور خود سڑک پار کر کے سول لائن میں بس گیا۔

قدوس کے ساتھ آنے والا آدمی ایک معمّا تھا جسے حل کرنا' میرے لیے ضروری تھا۔ میں نے اُس کا نام جاننا چاہا تو وہ گھبرا گیا۔ اِس گھبراہٹ کو صرف مجھ اَیسا پہلوان ہی محسوس کر سکتا تھا کیوں کہ اکھاڑے نے مجھے دفاعی ہتھکنڈوں پر اُترنے والے مخالف سے نمٹنے کا گُر بھی سکھا رکھا تھا اور جارحیت سے اِس گُر کا کوئی واسطہ نہیں تھا۔ میں نے قدوس کو دفتر سے چلے جانے کا اِشارہ کیا۔ جب وہ چلا گیا تو میں نے اُس مخلوق سے کہا کہ وہ بیٹھ جائے۔ وہ ہچکچایا اور پھر اُس نے ایسا داؤ لگایا جس کی مجھے توقع ہی نہیں تھی۔ وہ میرے سامنے والی دیوار کے ساتھ آلتی پالتی مار کر بیٹھ گیا۔ اُس کی کمر جھکی ہوئی تھی۔ میں اکھاڑوں میں کسرت کرتے اور تھڑوں پر بیٹھتے' یہاں تک پہنچا تھا کہ جب کوئی مخالف' غیر متوقع داؤ لگائے تو جواب میں بھی ویسا ہی داؤ دہرانا چاہیے۔ میں کرسی سے اُٹھا اور جوتا اُتار کر اُس کے سامنے بیٹھ گیا۔ اُس نے کچھ دیر بعد نظریں اُوپر اُٹھائیں تو اُس کے ہونٹوں پر خفیف سی مسکراہٹ تھی:

''مجھے اَپنا نام یاد نہیں!''

اِس دفعہ بنی میرے دُوسرے کان پر لگی۔

''کیا یادداشت چلی گئی ہے؟''

''نہیں...... ہوش میں آنے کے بعد اَب تک ہر بات یاد ہے لیکن نام......''

وہ خاموش ہو گیا۔

میں نے اُس وقت کوئی داؤ لگانا مناسب نہ سمجھا۔ میں اُس کے اُستاد سے واقف نہیں تھا' اِس

لیے میں نے اُسے اگلا داؤ لگانے کا موقع دیا۔ میرا جسم تنا ہوا تھا اَور آنکھیں، اُس کی آنکھوں پر تھیں لیکن وہ تھا کہ کمر جھکائے نیچے کی طرف دیکھے جا رہا تھا۔ وہ کسی صحیح اُستاد کا چنڈا ہوا لگتا تھا۔

''کہاں کے رہنے والے ہو؟''

اُس میں کوئی حرکت پیدا نہ ہوئی۔ مجھے معلوم نہیں کہ ہم کتنی دیر تک اُسی طرح بیٹھے رہے! آخر اُس نے لمبا سانس لیا اَور کہا:

''پتا نہیں۔''

مجھے لگا کہ اُس نے یک دم پیچھے سے مجھے کلاوے میں لے کر اِتنے زور سے دبایا ہے کہ میرے پھیپھڑے خالی ہو گئے ہیں اَور آنکھیں باہر نکلنے لگی ہیں۔ میں نے نامعلوم سے سانس لے کر پھیپھڑوں کو ہوا سے بھرنا شروع کر دیا۔

باپ

O

میاں صاحب نے جب میرا نام پوچھا' اُس وقت میرے اَندر کہیں سے منافقت آ گئی تھی۔ میں اُس منافقت سے قدرے خوف زدہ تو ہوا لیکن میں نے سوچا کہ اِس کے بغیر کوئی چارہ بھی نہیں۔ میں میاں صاحب اَور قدوس کے درمیان' آنکھوں کے اِشارے دیکھ کر جان چکا تھا کہ مجھے نظر اَنداز کرنا اُن کے بس سے باہر ہے۔ مجھے کارخانے میں کوئی خاص کام نہ سونپا گیا لیکن مجھے سب کچھ کرنا ہوتا...... رجسٹر' بہی کھاتے' حاضری' تنخواہیں' سٹور' مال وغیرہ' سب کچھ میرے ہی ذمے تھا۔

میری منافقت کا اصل سلسلہ اُس وقت شروع ہوا جب میاں صاحب میرے سامنے آلتی پالتی مار کر بیٹھ گئے۔ جب اُنھوں نے مجھے بیٹھ جانے کا کہا' میرے ذہن میں باپ کا سراپا گھوم گیا' میں اُسی کی طرح سَر جھکا کر بیٹھ گیا اَور میاں صاحب میرے سامنے بیٹھ گئے۔ میرے اَندر اِس قدر منافقت بھر گئی تھی کہ میں نے سچ بولنے کا فیصلہ کر لیا۔ سچ بولنا دراصل مخاطب کو دھوکا دینے کے مترادِف ہوتا ہے۔ سچ بول کر' میں اُن کا اعتماد بھی حاصل کرنا چاہتا تھا تاکہ بوقتِ ضرورت دھوکا دینے میں آسانی رہے۔ میرا یہ کہنا کہ مجھے اَپنا نام پتا معلوم نہیں' بالکل سچ تھا اَور میاں صاحب نے بھی اِسے سچ ہی جانا۔ اَب ہم دونوں ایک سطح پر تھے۔ میں نے اَیسا سچ بولا تھا جہاں سے میرے جھوٹ کا آغاز ہونا تھا اَور میاں صاحب اُسے وہ سچ سمجھے جو جھوٹ پر مبنی تھا۔ مجھے اپنی شناخت کے لیے نام اَور پتے کی ضرورت تھی: میں اپنا کوئی بھی نام رکھ سکتا تھا لیکن ایک بدلہ چکانے کے لیے میں نے

اپنا نام قدوس رکھ لیا اور رہائشی پتا، قلعہ دیدار سنگھ کا دے دیا۔

میاں صاحب کے نظام میں، میں ایک اہم مقام حاصل کر چکا تو قدوس نے گڑبڑ کرنا شروع کر دی۔ وہ اکثر دیر سے آتا اور مجھے حاضری رجسٹر میں تبدیلی کرنے کو کہتا۔ وہ گیٹ کیپر ہونے کی وجہ سے کاری گروں کی فہرست میں شامل نہیں تھا۔ کارخانے کے قواعد وضوابط کی رُو سے غیر ماہر ملازمین کی تنخواہ کم تھی اور میاں صاحب دیگر ملازموں کو، کاری گروں کے برابر حقوق دینے پر یقین نہیں رکھتے تھے۔ قدوس، دیسی گھی مہیا کرنے کے باوجود، ایک غیر ماہر ملازم تھا۔ جب اُس نے اپنے اِس احسان کے بدلے میں مراعات لینا چاہیں تو میں نے اُسے ملازمت سے سبک دوش کر دیا۔ وہ بہت سٹپٹایا:

''تم اِنسان نہیں تھے۔ اُس صبح نہر کے پل پر مجھ سے غلطی ہوئی کہ ایک آسمانی مخلوق کو سائیکل پر بٹھا کر یہاں لے آیا!''

میں زیرِ لب مسکراتا رہا۔ شاید میں ایسا ہی تھا کہ کوشش کے باوجود، اپنے اَندر کسی قسم کے جذبات پیدا نہ کر سکا۔ مجھے اُلجھن ہوتی کہ میں دُوسرے لوگوں کی طرح ہنستا کیوں نہیں اور پریشان بھی کیوں نہیں ہوتا...... میں سوچتا: شاید میں کلّر والی زمین کی طرح ہوں جس پر فصل کے بجائے بے کار قسم کی جھاڑیاں اور جڑی بوٹیاں اُگتی ہیں! میرے اَندر کے خلا میں ضرورتیں تھیں اور مجھے مسائل اور اُن کے حل کی فکر تھی۔ کیا میں انسان سے ایک مشین میں ڈھل گیا تھا...... اس کیفیت میں شاید اُس ٹبّے کا دخل تھا جہاں سے بھاگ کر میں یہاں پہنچ گیا تھا۔ مجھے خیال آتا: میاں صاحب کا یہ سلسلہ کہیں اُس ٹبّے کی توسیع ہی نہ ہو!

مجھے محسوس ہونے لگا کہ گوجرانوالہ میرے لیے ایک چھوٹا شہر ہے۔ میرے اَندر اُن بلندیوں تک پہنچنے کی اہلیت تھی جو یہاں موجود نہیں تھیں۔ مجھے یہ ایک بجھا ہوا سا شہر لگا جہاں زِندگی چل تو رہی تھی مگر یوں کہ جیسے وقت کے خلا میں معطل ہو کر رہ گئی ہو! میں جب اِن خیالات کا اِظہار میاں صاحب سے کرتا تو وہ جذباتی ہو جاتے اور کہتے:

''یہاں چوٹیاں تو موجود ہیں مگر وہ صرف سَر کرنے والوں ہی کو نظر آتی ہیں!''

وہ اپنی مثال دیتے کہ کس طرح وہ شیراں والا باغ کے سامنے کے ایک اکھاڑے سے اُٹھ کر' لاہوری دروازے کے تھڑوں سے ہوتے ہوئے' جی ٹی روڈ پر ایک کارخانے کے مالک بنے:

''اگر زِندگی دیکھنی ہو تو بجتے والے' ریتاں والے' تھانے والے بازار میں جانا چاہیے! اُن گلیوں میں وہ لوگ آباد ہیں جن کے دم سے زِندگی چلتی تو نہیں مگر قائم ضرور ہے۔ وہ لوگ نہ ہوتے' تو گوجرانوالہ شہر بھی نہ ہوتا اَور اگر گوجرانوالہ شہر نہ ہوتا تو تمھارے میاں صاحب بھی نہ ہوتے!''

میں اُن سے اتفاق نہ کرتا کیوں کہ یہ ایک ایسے آدمی کا نظریہ تھا' جسے شاید ضرورت کے وقت صحیح پتے پڑتے رہے اَور جس کے اَندر حالات کو اَپنے لیے سازگار بنانے کی اہلیت بھی تھی...... ایسی اہلیت جو ہر آدمی میں موجود نہیں ہوتی۔

میرے اَندر مستقل طور سے آباد خالی پن' گھر میں بچپن اَور جوانی' ساتھیوں اَور ہمجولیوں کے بغیر گزارنے کی وجہ سے تھا۔ مجھے صرف پندرہ راتوں کے لیے عورت کا قرب میسر آیا تھا...... یہ پندرہ راتیں' میری زِندگی میں ایک لمحے کے برابر تھیں اَور اَب اِتنا عرصہ گزر جانے کے بعد وہ لمحہ بھی ایک خواب لگتا تھا...... کہیں ایسا تو نہیں کہ وہ حقیقتاً ایک خواب ہو جسے میرے ذہن نے تعمیر کر رکھا ہے...... کیا مجھے شادی کر لینی چاہیے...... اگر میں نے شادی کر لی تو میرے اِکلاپے کا کیا بنے گا جس کا میں عادی ہو چکا ہوں...... شادی کے بعد کوئی عورت اِس اِکلاپے کی جگہ لینے کی کوشش کرے گی...... کیا میں ایسا ہونے دوں گا...... کہیں میں خود اَذیتی کا شکار تو نہیں ہو گیا...... یہ بھی تو ہو سکتا ہے کہ یہ کیفیت ایک تلذذ کی حامل ہو اَور میں بار بار اِس میں سے گزرنا چاہتا ہوں!...... یہ اَور اَیسے خیالات اکثر مجھے گھیرے رہتے۔

میں لاہور آنے جانے لگا۔ گوجرانوالہ کے علاوہ میں نے لاہور کا دفتر بھی سنبھال لیا تھا۔ وہاں میں مختلف لوگوں سے ملا جن میں عورتیں بھی شامل تھیں۔ حیرت کی بات تھی کہ مجھے عورتوں سے مل کر کسی لطیف جذبے کا احساس نہ ہوتا: مجھے عورت اَور مرد یکساں لگتے اَور میں پریشان ہو کر اِس

نتیجے پر پہنچتا کہ یہ سب میرے اِکلاپے اَور محنت کی وجہ سے ہے۔ یہ مسئلہ میرے لیے اُلجھن بنتا جا رہا تھا۔ دُوسرے‘ میں لاہور کے ماحول سے ہم آہنگ نہ ہوا تھا۔ میں میاں صاحب کی طرح تھڑوں پر نہیں بیٹھا تھا اَور میرا میل ملاپ‘ تھڑوں سے ناآشنا طبقے سے تھا...... یہ شیخی باز‘ خود پسند اَور خود غرض لوگ تھے...... یہ وہ طبقہ تھا جو دُوسرے ضلعوں سے آ کر لاہور میں آباد ہوا اَور مقامی مزاج کو‘ عالم گیری شکل دینے کی کوشش کرتے ہوئے‘ بے رنگ کرنے کے بعد ہڑپ کر گیا۔ یہاں مجھے گوجرانوالہ‘ ایک بجھا ہوا شہر ہونے کے باوجود‘ اَپنے ہی مزاج کا حامل لگتا کہ وہاں جو لوگ آباد تھے‘ اُسی ضلع سے تعلق رکھتے تھے اَور اُنھیں شہر سے کسی نہ کسی طرح ہم دردی ضرور تھی۔ مجھے لاہور اُس طوائف کا سا لگتا جس کے ساتھ کسی کو ہم دردی نہیں ہوتی لیکن ہر کوئی اُسے ہمہ وقت سجے سجائے دیکھنا چاہتا ہے۔ گوجرانوالہ بھی میری جاہ طلبی کی تسکین کے لیے موزوں نہیں تھا اَور میں نے لاہور کو بھی چھوڑ دینے کا فیصلہ کر لیا۔ میں نے میاں صاحب سے درخواست کی کہ وہ میری تعیناتی‘ اپنے انگلستان والے دفتر میں کر دیں!

میاں صاحب کے ساتھ کام کرتے ہوئے مجھے پانچ سال ہو گئے تھے۔ میں اُن کے نظام میں ایک اَہم اَور فعال رُکن بن چکا تھا لیکن مجھے اُن کے ساتھ کوئی ہم دردی نہیں تھی۔ وہ ہمیشہ میرے سچ میں سے جھوٹ برآمد کرنے کی کوشش میں رہتے لیکن میری سچائی‘ اِتنے بڑے سچ پر مبنی ہوتی کہ وہ اِس میں سے رتی بھر جھوٹ بھی نہ نکال سکتے۔ میرے اَندر کی منافقت اُس بیل کی طرح تھی جو ایک وقت میں چاروں طرف پھیل جاتی ہے...... میں نے اُس کے پھیلاؤ کو روکنا مناسب نہ سمجھا کہ میرے اَندر اُسے روکنے کی صلاحیت ہی نہیں تھی...... یہ منافقت پھیلتی ہی رہی اَور ایک وقت ایسا آیا کہ میں‘ میں نہ رہا...... سراپا منافقت بن گیا!

انگلستان میں‘ میاں صاحب سےمَیں بہت دُور تھا۔ وہ کہا کرتے تھے کہ اَکھاڑا اُن کی تربیت گاہ تھا اَور وہ نظر ملتے ہی مدِمقابل کے بارے میں بہت کچھ جان لیتے ہیں۔ ٹبّا‘ میری تربیت گاہ تھا اَور مجھے وہیں سے نظر نیچی رکھنے کی عادت تھی‘ اِس لیے میاں صاحب اکھاڑے کی تربیت کے باوجود

مجھے نہ جان سکے۔ ایک وقت تھا جب وہ گڑ بڑ کرنے والے ملازم کو صرف ایک آدھ بینی ہی سے سیدھا کر دیا کرتے۔ اَب وہ جسمانی طور سے اِتنے فعال نہیں رہے تھے اَور کرسی پر بیٹھے' میری معرفت کام چلایا کرتے تھے۔ اُن کے بیٹے نالائق اَور سہل پسند تھے جنھیں کاروبار کے بجائے' اپنی جیبیں گرم رکھنے کی فکر دامن گیر رہتی تھی۔ میں جانتا تھا کہ اُن کی عمارت جس پیل پایے پر کھڑی تھی' اُس کے نیچے کی زمیں میں سیم سِمنے لگی تھی۔

ایک روز' میں نے میاں صاحب کو بتائے بغیر' جرمنی کی ایک بین الاقوامی کمپنی میں ملازمت اِختیار کر لی۔ پھر کیا تھا' میاں صاحب کا یورپ اَور امریکہ کا کاروبار ٹھپ ہو کر رہ گیا!

O

پیل پائے کی تھڑی پر بیٹھے بیٹھے، میری ٹانگوں میں خون کی گردش رُک سی گئی ہے۔ ٹانگوں کے بے جان ہونے سے مجھے قدوس کے ساتھ بائیسکل کا سفر یاد آجاتا ہے۔ مجھے لگتا ہے کہ یہ کسی اَور زمانے کی بات ہے۔ میں کھڑے ہو کر، ٹانگوں کو حرکت دینے کی کوشش کرتا ہوں۔ اچانک مجھے دروازے میں ہلکا سا کھٹکا محسوس ہوتا ہے۔ مجھے یاد ہے کہ تمام دروازے اَندر کو کھلتے ہیں اَور کسی نے دروازے کو آہستہ سے دھکیل کر کھولنے کی کوشش کی ہے۔ میں دروازے کے سامنے کھڑا ہو جاتا ہوں۔ پھر دروازہ زور سے کھلتا ہے جیسے کسی بگولے نے کنڈیاں اَور تالے توڑ دیے ہوں۔ میں جو کچھ دیکھتا ہوں، وہ ناقابلِ یقین ہے۔ مجھے نہر کے پُل پر قدوس کا خوف زدہ ہو جانا، ٹھیک لگتا ہے۔ انسان نما ایک ننگ دھڑنگ مخلوق، دروازے سے برآمد ہوتی ہے۔ اُس کے سر کے بال اَور ڈاڑھی لمبی اَور بے ترتیب ہے۔ اُس نے روشنی سے بچنے کے لیے، ایک ہاتھ سے اپنی آنکھیں بند کی ہوئی ہیں اَور وہ میری طرف بڑھ رہا ہے۔ مجھے اپنے باپ کی یاد آجاتی ہے۔ میں بڑھ کر اُسے گلے لگا لیتا ہوں۔ بہت عرصہ پہلے، میرے اَندر باپ کو بانہوں میں لے کر ساتھ لگانے کی خواہش پیدا ہوا کرتی تھی: وہ مجھے لڑکھڑا کر چلتے ہوئے، کم زور اَور بے بس لگا کرتا تھا۔ میں کمرے میں سے نکلنے والے آدمی کو اَپنی دونوں بانہوں میں لے لیتا ہوں۔ وہ ہڈیوں کا ایک ڈھانچا ہے۔ میں چاہتا ہوں، وہ بھی مجھے گلے لگائے اَور اَپنے پیار کا اِظہار کرے لیکن اُس کا ایک ہاتھ اپنی آنکھوں کو ڈھانپے

ہوئے ہے۔ میں اُسے پرے ہٹا کر جیب سے رُومال نکالتا ہوں اور اُس کی آنکھوں پر پٹی باندھ دیتا ہوں۔ اَب وہ مجھ سے لپٹ جاتا ہے۔ مجھے اُس کے جسم سے اپنے باپ کے لباس کی بُو آتی ہے۔ مجھے خیال آتا ہے کہ یہ بُو تو میرے جسم سے بھی اُٹھا کرتی ہے۔ سب کچھ میری سمجھ میں آ جاتا ہے اَور میری آنکھوں سے آنسو بہنے لگتے ہیں۔ ایک بوڑھا اَور ایک اُدھیڑ عمر شخص' ایک دُوسرے کو گلے لگا کر رو رہے ہیں اَور مجھے لگتا ہے کہ یہ آنسو میرے اَندر سے خالی پن' منافقت اَور نفرت کو باہر نکال رہے ہیں۔ میں اُسے ساتھ لگائے' دیر تک روتا رہتا ہوں۔ مجھے محسوس ہوتا ہے کہ میرا اَندر خالی ہو گیا ہے جس میں اَب کوئی ضرورت باقی نہیں رہی۔ میاں صاحب اَور اُن کے مسائل میری زِندگی کا حصہ ہی نہیں تھے۔ میرے اَندر کا خلا محبت بھرے جذبات سے بھرنا شروع ہو گیا ہے۔ میرے سینے میں تتلیاں سی اُڑ رہی ہیں۔ مجھے اپنے آس پاس خوشبو کا احساس ہوتا ہے۔ میں خود کو پہلی مرتبہ انسان سمجھنے لگتا ہوں جو ہنس بھی سکتا ہے اَور رو بھی سکتا ہے۔ میں نے محبت میں ڈوب کر کسی کو چوما نہیں تھا؛ میں پہلی مرتبہ کسی کو چومتا ہوں:

''تم میرے بیٹے ہو!''...... میری آنسو بھری آواز کہتی ہے۔

باہر شام ہو رہی ہے۔ سرکنڈے' گھر کے سایے تلے آ گئے ہیں مگر مرغیوں کا دڑبا ابھی تک دُھوپ میں ہے۔ میں اُسے ہاتھ سے پکڑ کر برآمدے کے کونے میں لے آتا ہوں اَور ہم جھاڑ جھنکار پر پاؤں رکھ کر برآمدے میں بیٹھ جاتے ہیں۔ میں نے اُس کا ستر ڈھانپنے کی کوشش نہیں کی؛ غالباً اُسے بھی اپنی برہنگی کا احساس نہیں۔ ہم دیر تک خاموش بیٹھے رہتے ہیں: شاید ہمیں باتیں کرنے کی ضرورت نہیں؛ اَور ممکن ہے' اُس کا اِکلاپا آنسوؤں میں بہ گیا ہو اَور وہ اپنی تکمیل کے احساس سے حظ اُٹھا رہا ہو!

''یہ روشنی کتنی دیر رہے گی؟''

''سایہ' گھاس کے قطعوں تک آ گیا ہے۔''

''گھاس کے قطعے؟''

وہ ہنستا ہے:

’’جب اندھیرا ہو جائے تو میری آنکھوں پر سے پٹی ہٹا دینا‘ صبح ہونے تک یہ عادی ہو جائیں گی اور میری بینائی بھی محفوظ رہے گی۔‘‘

میں چپ رہتا ہوں۔

’’میں سورج کو طلوع ہوتے ہوئے دیکھنا چاہتا ہوں...... صبحِ کاذِب‘ پھر اندھیرا‘ ہلکی سی روشنی‘ سفیدی‘ اُفق پر سُرخی اور تب کہیں سورج...... مجھے یاد ہی نہیں‘ یہ سب میں نے کب دیکھا تھا!‘‘

میں اُس کے متعلق سب کچھ جاننا چاہتا ہوں۔ مجھے اُس کے اطوار میں ایک طرح کی دیوانگی نظر آ رہی ہے۔ مجھے خدشہ ہے کہ وہ میرے تجسس سے گھبرا کر کہیں چپ نہ سادھ لے! اُس کا قرب مجھے ایک طرح کی تکمیل کا احساس دِلا رہا ہے۔ میں سوچتا ہوں: اگر اُسے میری کوئی بات خوش نہ آئی تو عین ممکن ہے وہ تشدّد پر اُتر آئے!

’’مجھے یاد نہیں کہ میں کمرے میں کب سے بند ہوں! اِس قید میں مجھے یوں محسوس ہوتا کہ مجھے کسی کا اِنتظار ہے۔ میں نہیں جانتا کہ کس کا اِنتظار تھا...... تمھارا کہ موت کا! اچھا ہوا کہ موت نہیں آئی اور تم آ گئے۔‘‘

میں جانتا تھا کہ مایوسی اِس گھر کا حصہ ہے۔ مجھے خوشی ہوتی ہے کہ اِس ملاقات کو اُس نے مایوسی سے وَرا سمجھا ہے اور اِس میں اُسے زِندگی کی تلاش نظر آئی ہے۔ وہ زندگی سے ناآشنا ہے مگر اُس کے اَندر کہیں زِندگی موجود ہے جسے نہ جانتے ہوئے بھی وہ اُس کے ساتھ چمٹا ہوا ہے۔ میں چاہتا ہوں کہ وہ بولتا رہے:

’’تم اَندر کب سے بند ہو؟‘‘...... میں جھجکتے ہوئے پوچھتا ہوں۔

وہ میری طرف دیکھنے کی کوشش کرتا ہے۔ اُس کی آنکھوں پر بندھے رُومال کی وجہ سے‘ میں اُس کے تاثرات نہیں پڑھ سکتا۔ وہ ایک لمبا سانس لے کر خاموش رہتا ہے۔ مجھے اچانک اجنبیت کا احساس ڈسنے لگتا ہے۔ میں تھوڑا سا سرک کر اُس کے اَور قریب ہو جاتا ہوں۔

''کیاتم جانتے ہو کہ ہمارا نام کیا ہے؟''

میں خاموش رہتا ہوں۔ میں صرف اِتنا جانتا ہوں کہ میرا کوئی نام نہیں تھا۔ میں نے بوقتِ ضرورت خود ہی اپنا نام قدوس رکھ لیا تھا۔ میں یہ بھی جانتا ہوں کہ نام' کسی ایک کو دُوسرے سے الگ کرنے کے لیے دیا جاتا ہے اَور اِس گھر میں شناخت کی ضرورت ہی نہیں۔

''نہیں!''...... میں آہستہ سے کہتا ہوں:

''لیکن ہمارے تین نام ہیں...... گھسیٹا رام' گھسیٹا سنگھ اَور گھسیٹا خاں۔ دُنیا کا ہر فرد' واحد شناخت کا حامل ہوتا ہے جب کے ہمارے اِس بُتے میں ہر فرد کی تین تین شناختیں ہیں۔ جانتے ہو کیوں؟''

وہ میری طرف دیکھتا ہے مگر میرے سامنے ایک اَندھا آدمی ہے۔

''اندھیرا ہوا؟''...... وہ پوچھتا ہے۔

باہر اَندھیرا ہے اَور مجھے چاند کی تاریخ معلوم نہیں۔

''ہاں!''

''کیاتم میری آنکھیں کھول سکتے ہو؟''

''کھول دیتا ہوں لیکن تم اِنھیں کچھ دیر کے لیے بند رکھنا؛ جب میں کہوں تو پھر دیکھنا شروع کرنا!''

میں رُومال کی گرہ کھول کر' اُنگلیوں کی پوروں سے اُس کی آنکھوں کو سہلاتا ہوں۔ اُس کی آنکھیں نم ہیں۔ میری چھاتی یک دم بوجھل ہو جاتی ہے اَور مجھے اپنی ٹانگیں مائع سے بنی محسوس ہوتی ہیں۔ میں اُس کے ساتھ جُڑ کر بیٹھ جاتا ہوں اَور وہ اپنا ہاتھ میرے کندھے پر رکھ دیتا ہے' جیسے دریا کے دو کنارے ایک پُل کے ذریعے مل گئے ہوں!

''آنکھیں کھول دو!''

میں اُسے دیکھنے کے بجائے' اُس طرف دیکھنا شروع کر دیتا ہوں جدھر اُس کی نگاہ جانے والی ہے۔ اندھیرے کی وجہ سے سرکنڈے' اپنا سایہ کھو بیٹھے ہیں: میں رات کے ساتھ اُن کی سرگوشیاں

سن سکتا ہوں ۔ اُسی لمحے بطخیں ہماری طرف آنکلتی ہیں، ہمیں بیٹھے دیکھ کر گھبرا جاتی ہیں اَور گردنیں لمبی کر کے خطرے سے نمٹنے کے لیے تیار ہو جاتی ہیں اَور پھر پس قدمی اِختیار کر لیتی ہیں۔ وہ ہنستا ہے۔

''میں نے اُنھیں دیکھ لیا ہے۔''

وہ بطخوں کی طرف اِشارہ کر کے کہتا ہے:

''میں سوراخ میں سے بالکل سیدھا دیکھنے کا عادی تھا۔ یہاں بیٹھ کر سارے کو دیکھ سکتا ہوں، جیسے مجھے نئی زِندگی مل گئی ہے۔''

''کیا تم نئی اَور پرانی زِندگی کے درمیان خط کھینچ سکتے ہو؟ تم نے تو یہاں کے اندھیرے کے سوا کچھ دیکھا ہی نہیں رکھا۔''

میں پیچھے کمروں کی طرف اشارہ کرتا ہوں۔

وہ پھر ہنستا ہے:

''زِندگی باہر نہیں، میرے اَندر ہے!''

میں اُسے بحث میں اُلجھانا نہیں چاہتا۔ میں جانتا ہوں کہ اُسے باہر کی روشنی کا اَندازہ ہی نہیں۔ اُس کے اَندر کی زِندگی بھی اِس ڈبّے کے اندھیرے کی طرح ہے جہاں دِن میں بھی دِن نہیں نکلتا۔

''تمھیں یہ نام کس نے بتائے تھے...... یہ نام میرے علم میں تو نہیں تھے!''

وہ ایک لمبا سانس لے کر پھر خاموش ہو جاتا ہے۔ ہم دونوں رات کی چپ کا حصہ بن جاتے ہیں۔ سرکنڈوں میں وقفے وقفے سے کچھ سرسراہٹ سی ہوتی ہے جو رات کی خاموشی کی توسیع ہے۔

''مجھے یہ نام بوڑھی عورت نے بتائے تھے۔ ہم لوگوں نے جب بھی خطرہ محسوس کیا کہ ہماری بقا، فنا ہونے والی ہے، ہم نے نام تبدیل کر کے خود کو محفوظ کر لیا۔''

میں سوچتا ہوں کہ لوگ اپنی حفاظت کے لیے مختلف اِقدام کرتے ہیں جن میں کسی کی جان لینا بھی شامل ہے۔ نام کی تبدیلی سے اپنی حفاظت کرنا مجھے عجیب سا لگتا ہے۔ میں چاہتا ہوں کہ وہ

اپنی بات جاری رکھے مگر پھر خاموشی اَور ایک لمبی سانس!

میرے ذہن میں اچانک بطخیں آجاتی ہیں۔

وہ کہتا ہے:

''اگر نام نہ بدلے جاتے تو ہم دونوں بھی نہ ہوتے۔ اَور اگر ہم دونوں کو دُنیا میں آنا ہی تھا تو کسی اَور جگہ، مختلف حالات میں آتے۔ ہمیں نام بدلنے والوں کا شکرگزار ہونا چاہیے۔ مجھے اُمید نہیں تھی لیکن تمھارا اِنتظار کرتے ہوئے، زِندہ رہنا اچھا لگا۔''

مجھے میاں صاحب کا دفتر یاد آجاتا ہے جہاں میں نے اپنا نام تبدیل کیا یا رکھا تھا۔ میں محسوس کرتا ہوں کہ ہم موسم کی طرح ہیں جو اَپنی ضرورت کے تحت خود کو بدل لیتا ہے: وہ کسی کا نہیں ہوتا، ہم سب اُس میں تحلیل ہوتے رہتے ہیں۔

''تمھیں میرا اِنتظار کیوں تھا؟''

''میں نہیں جانتا لیکن...... کیا تمھیں اپنے باپ سے پیار تھا؟

میں خاموش رہتا ہوں۔

''کتنا؟''

''میں نہیں بتا سکتا۔ تمھیں ملنے سے پہلے، باپ کے علاوہ مجھے کسی سے پیار نہیں تھا۔''

''مجھے زِندگی میں اگر کسی کی کمی محسوس ہوئی تو وہ صرف تمھاری تھی...... ہم صرف باپوں کے ہیں۔''

مجھے اُس کی بات میں سچ نظر آتا ہے اَور میں اپنے اَندر کسی خوف کو سرایت کرتے محسوس کرتا ہوں...... یہ خوف اُس خوف سے مختلف ہے جو مجھے صدر دروازے کے سامنے محسوس ہوا تھا اَور اِس خوف کا تعلق میری ذات سے نہیں۔ مجھے زِندگی میں کبھی کسی وابستگی کا احساس نہیں ہوا تھا: میں پہلی مرتبہ اپنے آپ کو وابستہ محسوس کرنے لگتا ہوں:

''وہ کیسے؟''

وہ ہنستا ہے۔ میں اُس کی ہنسی میں معنی تلاش کرتا ہوں۔ اچانک مجھ پر اُس کی ہنسی کی رمز کھل

جاتی ہے اَور مجھے باور آتا ہے کہ اُس کی ہنسی میں ایک برتری کا احساس ہے؛ مجھے اُس میں منافقت کا شائبہ تک نظر نہیں آتا؛ میں اپنے آپ میں شرم ساری محسوس کرنے لگتا ہوں:

''وہ کیسے؟''...... میں دوبارہ پوچھتا ہوں۔

''وہ ایسے۔''

وہ پھر ہنستا ہے:

''وہ ایسے کہ ہم......''

وہ فقرہ ادھورا چھوڑ کر، پھر ہنسنا شروع کر دیتا ہے......اب کے اُس کی ہنسی، بے ساختگی لیے ہوئے ہے۔

''حرامی ہیں!''

مجھے اُن عورتوں کے ساتھ گزاری ہوئی پندرہ راتیں یاد آ جاتی ہیں۔ میرے علم میں نہیں کہ اُن میں سے کس نے اِسے جنا! ایک کے بعد دُوسری اَور پھر تیسری کے ساتھ باری باری پانچ پانچ راتیں بسر کرنے کے بعد سے آج تک میں مجرد ہوں۔ جس طرح مجھے اِس کی ماں کے بارے میں کوئی علم نہیں، اُسی طرح میں بھی اپنی ماں کے متعلق کچھ نہیں جانتا۔ میں صرف اپنے باپ کا بیٹا ہوں، اَور یہ بھی صرف میرا بیٹا ہے۔

''ہم بغیر نکاح کے پیدا ہوئے ہیں۔''

وہ پھر ہنس کر میری سوچ کو مہمیز لگاتا ہے اَور میں ٹبّے کے اَندر اَور باہر کے فرق کو جان جاتا ہوں۔ ٹبّے سے باہر حرامی ہونا بہت بڑی گالی ہے جب کہ یہاں کا رواج اَور دستور یہی ہے۔ ہمیں حرامی کیوں پیدا کیا جاتا ہے...... کیا حرامی ہونا ہی اصل ہونا ہے؟...... میں خود سے سوال کرتا ہوں۔

''کبھی سوچا ہے کہ ہم حرامی نہ ہوتے تو کیا ہوتا؟''

اُس سے یہ سوال پوچھنا مجھے عجیب نہیں لگتا۔ میں اِسے حل کرنا چاہتا ہوں اَور پھر خود سے

پوچھتا ہوں کہ ناجائز اَور جائز میں کیا فرق ہے...... کیا اَولاد ایک وعدے سے پہلے ناجائز اَور وعدے کے بعد جائز ہو جاتی ہے؟ اِس گھر میں کبھی کوئی وعدہ نہیں ہوا: یہاں صرف حکم چلتا ہے اَور حاکم عورت کی اطاعت کی جاتی ہے۔ پھر مجھے خیال آتا ہے کہ ہم اِتنی دیر سے یہاں بیٹھے ہیں مگر ابھی تک ہمارے لیے کوئی حکم صادِر نہیں ہوا۔ میرا جی چاہتا ہے کہ اُس عورت سے ملوں۔ میری اِس خواہش میں جذبے کے بجائے، تجسس کا دخل ہے۔

''ناجائز ہونا بہتر ہے کہ جائز ہونا؟''...... وہ پوچھتا ہے۔

میں اُس کی ہنسی اَور سانس کھینچنے کا اِنتظار کرنے لگتا ہوں۔

تھوڑی دیر خاموشی رہتی ہے۔ وہ میری طرف مڑتا ہے۔ میں جواباً کہتا ہوں:

''ہم حرامی ہوتے ہوئے بھی حرامی نہیں۔''

''مجھے میرے سوال کا جواب نہیں ملا۔''

اُس کے لہجے میں برہمی نظر آتی ہے۔ میں کہتا ہوں:

''جیل میں بعض اَوقات، مدعی اَور مجرم دونوں بند ہوتے ہیں۔ دونوں الگ الگ تعزیرات کے تحت آئے ہوتے ہیں یعنی مدعی کسی اَور جرم کی سزا بھگتنے کے لیے آجاتا ہے۔ ہمارے ساتھ بھی شاید اَیسا ہی ہوا ہے!''

مجھے اچانک چبھن کا احساس ہوتا ہے:

''میری ایک بیٹی بھی تھی۔''

''اَور وہ میری سوتیلی بہن تھی۔''

اُس کی آواز میں مجھے دیوانگی کی شدت نظر آتی ہے۔

''وہ میری بہن بھی تھی، لیکن......''

وہ خاموش ہو جاتا ہے۔

میں کچھ خائف سا، دم سادھ کے بیٹھ جاتا ہوں۔

''لیکن......لیکن......میں نے اُسے مار دیا۔''

وہ جلدی سے بات ختم کر دیتا ہے۔

مجھے لگتا ہے کہ میرے پیٹ میں کسی نے خنجر گھونپ دیا ہے۔ مجھے میاں صاحب یاد آ جاتے ہیں۔ اُن کے پاس ایسے مسائل کا حل ہوتا تھا۔ وقت کا پلڑا میرے ہاتھ سے چھوٹ جاتا ہے۔

''کیوں مار دیا اُسے؟''

میں اپنی آواز کا دُکھ محسوس کر سکتا ہوں۔

''اُسے زِندہ رہنے دیتا تو شاید وہ بھی کنجری بن کر کسی ایسے ہی گھر میں پندرہ دِن کے لیے چلی جاتی!''

وہ گھر کی طرف اِشارہ کرتے ہوئے کہتا ہے:

''پھر وہ میری سگی بھی نہیں تھی......اور جائز اَولاد بھی نہیں تھی۔''

''لیکن میری تو سگی تھی!''

میری آواز میں گزرے تمام برسوں کا دُکھ ہے۔ مجھے اچانک اپنے 'نامکمل ہونے' کا احساس ہوتا ہے۔

''میں جانتا ہوں' صرف وہ ہی زِندہ رہنا چاہتی تھی۔ لیکن میں نے......''

وہ خاموش ہو جاتا ہے۔ شاید اُس کے اَندر بھی اپنے نامکمل ہونے کا احساس جاگ اُٹھتا ہے!

آسمان پر بے جان سا چاند لٹکا ہوا ہے......اُس میں زِندگی کا سفید رنگ بھر جاتا ہے......یہ رنگ ہر سو پھیل جاتا ہے......اَندھیرے میں ڈوبے سر سروٹ' دوبارہ جی اُٹھتے ہیں!

''مجھے بھوک لگ رہی ہے۔ تم کچھ کھانا چاہو گے؟''

''ہاں!''

اُس کی آواز کھوکھلی ہے۔ میں اُس میں منافقت محسوس کرتا ہوں:

''کھانا کب کھایا تھا؟''

''یاد نہیں۔''

''تو زِندہ کیسے ہو؟''

''کون زِندہ ہے......ہم دونوں مر چکے ہیں......صرف مقتول بہن یا بیٹی زِندہ ہے......وہ اِس وقت ہم دونوں لاشوں کے درمیان سانس لے رہی ہے!''

''میں کھانے کا بندوبست کرتا ہوں!''

میں گھٹنوں پر ہاتھ رکھ کر اُٹھ کھڑا ہوتا ہوں۔ وہ بھی اُٹھتا ہے۔ میں محسوس کرتا ہوں کہ اُٹھنے کے ساتھ ہی اُسے چکر سا آیا ہے۔

میں صدر دروازے کی طرف چل پڑتا ہوں اَور وہ کتے کی طرح لڑکھڑاتے ہوئے میرے پیچھے پیچھے آتا ہے۔ باہر آ کر' میں ڈرائیور کو آواز دیتا ہوں۔ ڈرائیور تیز تیز قدموں سے میرے پاس آتا ہے۔ میں اُسے قلعہ دیدار سنگھ سے کھانا' پانی کی بوتلیں اَور ایک چادر لانے کے لیے کہتا ہوں۔

میں گھر کی طرف مڑتا ہوں تو وہ دروازے میں کھڑا ہے:

''میں نے پہلی مرتبہ دروازے سے باہر دیکھا ہے۔ چاندنی تو بہت دُور تک پھیلی ہوئی ہے......اُتنی دُور تک کہ جہاں تک نظر جا سکتی ہے۔ کیا اِس سے پرے بھی ایسے ہی ہے؟......میں نے تو وہاں......''

وہ گھر کی طرف اِشارہ کرتے ہوئے کہتا ہے:

''صرف دیوار تک دیکھا ہے۔''

میں اُس کے لہجے میں محرومی اَور بے بسی محسوس کر سکتا ہوں۔ وقت کا بہاؤ' ہمیں ریت میں دھنسنے پر مجبور کر گیا ہے اَور یہ پانی کی طرح ہمارے سروں پر سے گزر رہا ہے۔ اُسے اپنی سوتیلی بہن کو قتل کرنے کا قلق ہے۔ ہم سب کو اَپنا خاندان چاہیے تھا لیکن ہم اپنی تکمیل کے لیے بے بس تھے۔ ہم کم زور ہیں کہ بے بس......میں شاید یہی جاننے کے لیے گھر سے بھاگا تھا! اگر میں کم زور ہوتا تو روایت کے مطابق گھر ہی میں جان دے دیتا اَور اگر بے بس ہوتا تو فرار کے بعد یہاں واپس نہ آتا۔ میں زِندگی گزرانے کا ڈھب اَور دولت حاصل کرنے کے باوجود زِندہ نہیں ہوں۔ اگر زِندہ

ہوتا تو اِس قبرستان میں کبھی نہ آتا اَور اگر مر چکا ہوتا تو نئی زِندگی گزارنے کے لیے یہاں ضرور آتا۔ میں کون ہوں اَور میرے ساتھ یہ برہنہ مخلوق کون ہے...... میں یہاں کیوں آیا ہوں...... میں یہاں سے کیوں گیا تھا؟

''میں کھڑا ہونے سے قاصر ہوں!''

اُس کی آواز میں نقاہت ہے۔ میں اُسے سہارا دے کر' گھر میں داخل ہوتا ہوں۔ میں دروازہ بند نہیں کرتا کہ اِس روایت کو توڑ دینا چاہتا ہوں۔

ہم سروٹوں میں سے گزرتے ہوئے' پہلے والی جگہ پر آ کر بیٹھ جاتے ہیں۔

''باہر کیا ہے؟''

''باہر سب کچھ ہے اَور غور کیا جائے تو کچھ بھی نہیں۔ باہر لوگوں کی ایک بھیڑ ہے۔ وہ سب ایک میلے میں آئے ہوئے ہیں...... یا تو وہ کرتب دِکھا رہے ہیں یا دیکھ رہے ہیں...... وہ خود ہی ناظر اَور خود ہی نظارہ ہیں...... مگر وہاں ایک بہت بڑی طاقت بھی ہے جو اُن کے علم میں نہیں...... اُس طاقت کو صرف میں دیکھ سکتا تھا!''

''کیا تم نے وہ طاقت اُنھیں دِکھائی؟''

''اُسے دیکھنے کے لیے اندھا ہونا پڑتا ہے۔ وہ اپنی بینائی کو ختم نہ کر سکے۔ میں شاید تھا ہی اُندھا' اِسی لیے اُسے دیکھ سکا۔''

''تم اُسے بیان کر سکتے ہو؟''

''ہاں!''

میں کچھ دیر کے لیے سوچتا ہوں:

''ہاں...... وہ بہتی ہے اَور اُس کے بہاؤ کو کوئی نہیں جانتا...... وہ ایک ہی رفتار سے بہتی ہے...... اُس میں طغیانی آتی ہے نہ وہ رُکتی ہے...... اُس بہنے والی طاقت کا نام وقت ہے...... کیا تم نے مجھے روشنی میں دیکھا تھا؟''

''ہاں!''

اُس کے لہجے میں پریشانی ہے۔

''میرے چہرے پر تمھیں جتنے نشان نظر آئے، وہ سب وقت کے نشان ہیں۔ اگر وقت کا بہاؤ نہ ہوتا تو میں بوڑھا نہ ہوتا...... پھر شاید میں ہوتا ہی نہ...... اگر میں نہ ہوتا تو تم بھی نہ ہوتے، کوئی بھی نہ ہوتا...... صرف ایک آدمی اور ایک عورت ہوتے اور وہ اِس کے بہاؤ میں بہتے چلے جاتے...... ایک آدمی اور ایک عورت ضرور ہوئے ہوں گے یا شاید وہ نہ ہی ہوں اور ایک عمل سے وجود میں آ گئے ہوں...... اُنھوں نے وقت کے بہاؤ کو روکنا چاہا، اُسے اپنا طابع بنانا چاہا...... اِس کوشش میں اُن کے ہاں بچے پیدا ہوئے...... اُن کی نسل اور وقت میں ٹھن گئی...... دراصل وہ دونوں وقت تھے...... میں کچھ بھی نہیں ہوں، صرف وقت ہوں!''

''وہ کیسے؟''

''مجھ سے دُنیا چل رہی ہے۔ وقت میرے اندر ہے اور مجھے حرکت میں رکھے ہوئے ہے۔ تم میری وجہ سے ہو۔ اِک نہ اِک روز کسی رُکاوٹ کے باعث، وقت میرے اندر تھم جائے گا جس کے نتیجے میں، میں نہیں رہوں گا...... ایک لاش...... اُن لوگوں کی لاشوں کی طرح جنھیں تم نے ختم کر دیا...... وہ کہاں دفن ہیں؟''

''کہیں نہیں...... بس ایک کمرہ ڈھانچوں سے لدا پڑا ہے...... وہ بھی اُن میں شامل ہیں۔''

میں سوچتا ہوں، کیا میری ہڈیاں بھی اُسی کمرے میں چلی جائیں گی یا مجھے دفن کیا جائے گا...... اگر مجھے جلا دیا جاتا ہے تو میں گھسیٹا رام بھی ہوں...... میں کیوں نہ زردشتی بن جاؤں کہ میرا گوشت چیلوں کی خوراک بن جائے! لیکن شناخت بدلتے رہنا بھی زندگی ہے جس میں مکاری نہاں ہوتی ہے۔ میں نے اُس روز میاں صاحب سے اپنی شناخت چھپانے کے لیے سب کچھ ظاہر کر دیا اور وہ سمجھے کہ میں وہ نہیں جو بتا رہا ہوں...... میں شاید بطخ کی طرح ہوں جسے انڈے سے باہر نکلتے ہی تیرنا آ جاتا ہے!

''تم نے عورتوں کو کیوں قتل کیا؟''

میرے سوال پر وہ مجھ سے پوچھتا ہے:

''تم اپنے خاندان کی تاریخ سے واقف ہو؟''

''نہیں!''

''ہمارا جدِّ اَمجد گھسیٹا رام یا گھسیٹا سنگھ، اَپنے مسلمان ہونے کا اعلان کرنے کے بعد، اپنی دولت سے خائف تھا۔ وہ ایک منکوحہ بیوی کے بجائے، اپنے لیے ایک رنڈی خرید لایا اَور پھر خاندان کا ہر مرد اِسی روایت پر چل نکلا۔ ایک وقت آیا کہ رنڈیاں اِس گھر پر غالب آ گئیں۔ وہ اپنی بقا کے لیے مردوں کو اِس اَنداز میں ختم کرتی رہیں کہ ہم ختم ہو کر بھی ختم نہ ہوں۔ آخر کبھی اُنھیں بھی تو ختم ہونا تھا...... یہ کام میں نے کر دیا۔ بوڑھی عورت جانتی تھی کہ اِک نہ اِک روز اَیسا ہو کر رہے گا۔ اُس نے کسی قسم کی مزاحمت نہ کی۔

''تم زِندہ کیسے رہے؟''

''میں نہیں جانتا۔ گھسیٹا رام یا گھسیٹا سنگھ یا رنڈیوں نے ایک ایسا نظام ترتیب دے رکھا تھا کہ اِس گھر میں بسنے والے زِندہ رہیں۔ مجھے کھانے کے لیے کچھ نہ کچھ ضرور ملتا رہا۔ میں گھاس بھی کھا سکتا ہوں!''

مجھے گھر سے بھاگنے کی تمام واردات اَور راستے کا سفر یاد آ گیا:

''میں نے اپنا ایک نام رکھا ہے۔''

وہ دِلچسپی سے میری طرف دیکھتا ہے۔

''میں جب فرار ہوا تو قدوس نامی ایک آدمی نے میری مدد کی۔ اُس کی مدد کے صلے میں، میں نے اپنا نام قدوس رکھ لیا۔ اپنی شناخت کی طرف یہ میرا پہلا قدم تھا۔ میں جلد ہی جان گیا کہ شناخت، اِنسان کو ایک الگ شخصیت بنا کر پیش کرتی ہے۔ قدوس دراصل مجھے چھپا گیا؛ میں قدوس بالکل نہیں تھا۔ وہ ایک سیدھا سادا دیہاتی تھا اَور میں یہاں اِس قصبے میں، تنہائی کی زِندگی گزارنے

والا' ایک مکار آدمی ثابت ہوا۔ میں نے قدوس اَور میاں صاحب' دونوں کو' نقصان پہنچایا...... جس تھالی میں کھایا' اُسی میں چھید کیا۔''

چاندنی اَور بھی صاف ہوگئی ہے یا شاید مجھے ہی ایسے لگتا ہے...... وہ اپنے سحر کا جال پھینک کر مجھے اپنی طرف کھینچ رہی ہے۔ میں خود کو بے بس محسوس کرتا ہوں۔ میں تمام مسائل سے پیچھا چھڑا کر' چاندنی میں بیٹھے رہنا چاہتا ہوں!

وہ تھوڑا سا اپنی جگہ سے ہٹ کر' مجھے اپنی طرف متوجہ کر لیتا ہے۔ چاندنی پیچھے ہٹ جاتی ہے۔

''ہم کون ہیں؟''

وہ پوچھتا ہے۔

''خاندان کے بارے میں تم مجھ سے بہت زیادہ جانتے ہو۔ ہم وہ حرامی ہیں جو شاید حرامی بھی نہیں۔ ہمیں جنم دینے والی عورتیں جانتی تھیں کہ وہ حرامی بچوں کو جنم دے رہی ہیں۔ ہمیں وجود دینے والے مرد' اِس حقیقت سے بے خبر تھے۔ چند راتوں کا نسوانی قرب اُن کے لیے ضروری تھا اَور اُن کے وجود سے وجود پا جانے والے بچے' کوئی اَہمیت نہیں رکھتے تھے۔''

''تو میں حرامی ہوا؟''

''نہیں!''

''وہ کیسے؟''

وہ برہمی سے پوچھتا ہے۔ میں اُس کے اَندر جاری کشمکش کو سمجھ سکتا ہوں:

''میں تمھارا باپ ہوں۔ اگر تمھارے باپ کا پتا نہ ہوتا تو تم حرامی ہوتے۔ میں تمھاری ماں کو نہیں جانتا۔ عورتوں کو شاید اِس گھر کی بربادی کا سبب کہا جائے لیکن میں اِس بات کو درست نہیں سمجھتا۔ عورت' مرد کی بربادی کا سبب نہیں ہو سکتی؛ وہ تو اُسے ہمیشہ سمت اَور منزل دیتی ہے۔ عورتیں تھیں تو ہم یہاں بیٹھے ہیں۔ تمھیں کبھی اَپنی ماں کی یاد آتی ہے؟''

وہ خاموش رہتا ہے۔ میں اَپنی وابستگی کا سوچتا ہوں۔ کیا میرے بیٹے کو بھی مجھ سے وابستگی

ہے..... اُسے میرا اِنتظار کیوں تھا..... اُس نے عورتوں کو قتل کر دیا..... کیا وہ اِس گھر سے وابستہ ہر فرد کو مار دینا چاہتا ہے..... اِس گھر میں زِندہ لوگ بھی زِندہ نہیں جبکہ میرے ہوتے ہوئے وہ زِندوں کے درمیان موجود ہیں..... گھسیٹا بھی زِندہ ہے!

''میں نے کبھی سوچا ہی نہیں!''

وہ رسان سے جواب دیتا ہے۔

''کیوں؟''

''میں نے ضروری نہیں سمجھا۔''

''وجہ؟''

''کنجری کا ہوں نا..... اِس لیے!''

''میں بھی تو کنجری کے پیٹ سے ہوں!''

میں دلیل دیتے ہوئے کہتا ہوں۔ مجھے اچانک اِس گھر میں آنے والی ہر عورت سے ہم دردی ہونے لگتی ہے۔ عورتیں بغیر شناخت کے، یہاں گم نام زِندگی گزار رہی ہیں۔ میں نے دیکھا کہ آدمی شناخت کا بھوکا ہوتا ہے؛ وہ اَپنے لیے ایک سے زیادہ شناختوں کا متلاشی اَور متمنی ہوتا ہے..... یہ شاید اُس کی اَنا کا مسئلہ ہے۔ اُس بوڑھی عورت کی شناخت کیا تھی..... گھسیٹا کی نسل کے کسی آدمی کی کنجری؟ میری کیا شناخت ہے..... گھسیٹا کے نسل کے کسی آدمی کی کنجری کا بیٹا؟ گویا حساب کے ہر کلیے کی رُو سے ہم سب برابر ہیں!

''میرا اِنتظار کیوں کیا؟''

''تمھاری بات اَور ہے۔''

''کیوں؟''

''بوڑھی عورت کے مطابق، میری ماں کسی چکلے یا کسی ایسی ہی جگہ کہیں اَور چلی گئی۔ اُس کا واپس آنا ممکن نہیں تھا۔ وہ یہ بھی جانتی تھی کہ تم بھاگ جاؤ گے۔ وہ چاہتی تو تمھیں روک بھی سکتی

تھی۔ میرا اندازہ تھا کہ تم ایک بار ضرور آؤ گے!''

میں سوچ میں پڑ جاتا ہوں کہ یہاں کیوں آیا...... کیا میں قید ہونے کے لیے آیا ہوں یا مجھے بیٹے کی کشش کھینچ لائی ہے! میں فرار کے وقت سے اَب تک اِس گھر سے وابستہ رہا۔ یہ وابستگی کئی قسم کی تھی۔ مجھے گھر سے نفرت تھی جسے کسی طور غیر وابستگی نہیں کہا جا سکتا۔ مجھے یہاں پر گزری زِندگی ہمہ وقت یاد آتی رہی۔ وہ یادیں، دِلچسپ اَور خوش آئند نہیں تھیں لیکن میری زِندگی کا حصہ رہیں۔ اِس گھر نے مجھے اِس قدر ہنر وَر بنایا کہ میں باہر جا کر ایک کامیاب آدمی بن گیا۔

اچانک، گھر مجھے ایک زِندہ وجود لگتا ہے۔ میں اِسے اَپنے اِردگرد سانس لیتے اَور چلتے پھرتے محسوس کرتا ہوں۔ میں خوف زدہ ہو جاتا ہوں۔ میں سروٹوں کے سایے میں بیٹھی رُوحوں کو دیکھ سکتا ہوں۔ گھسیٹا کی نسلیں برہنہ بیٹھی ہیں۔ میں بے لباس ہو جانا چاہتا ہوں لیکن ایک جھجک مجھے جکڑ لیتی ہے۔ میں بیٹے کے کندھے پر ہاتھ رکھتا ہوں...... دو دریاؤں کے اُوپر دوبارہ پُل تعمیر ہو جاتا ہے۔

''بوڑھی عورت نے بتایا تھا کہ بٹوارے کے وقت گھسیٹا نے اپنی جائیداد کو سلامت رکھنے کے لیے ایک بار پھر مذہب تبدیل کر لیا تھا۔ میں جان گیا تھا کہ ہم میں مقابلہ کرنے اَور زِندہ رہنے کی اہلیت ہے۔ تم گھر سے بھاگنے والے واحد آدمی ہو۔ میں جانتا تھا کہ واپس ضرور آؤ گے!''

میں سوچتا ہوں کہ میں نے زِندگی کے کئی رُخ دیکھے ہیں۔ میں مظلوم اَور بے بس تھا؛ پھر میں ظالم اَور بے حس بن گیا۔ میں نے محسوس کیا کہ بے بس اِنسان بہت حساس ہوتا ہے اَور جب وہ بے حس ہو جائے تو بے اُصول بھی ہو جاتا ہے۔ میں نے ہر طرف بے اُصولی دیکھی ہے۔ اِس گھر میں ولی عہد کے پیدا ہونے کے بعد، پرانے ولی عہد کو ختم کر دینے کا اُصول کارفرما تھا۔ میاں صاحب کی بنیٔ، مزدوروں کے اُصولی معاملات کو حل کرنے کا ایک جداگانہ اُصول تھی۔ میرا میاں صاحب کو دھوکا دینا، ایک اُصولی نظریے کے تحت تھا۔ یہ دُنیا بھی کسی اُصول کے تحت وجود میں آئی ہے۔ میں نے امن کی جستجو کے عقب میں تباہ کاری کو چھپے دیکھا ہے جو کسی سایے کی طرح پیچھا کرتی ہے

اُور کبھی ختم نہیں ہوتی؛ صرف اپنا حجم اُور رُخ تبدیل کرتی ہے۔ اگر دیکھا جائے تو تباہ کاری ایک بہت بڑا اُصول ہے اُور شاید اِسی میں کہیں آبادکاری بھی پنہاں ہے ورنہ دُنیا ختم ہوگئی ہوتی۔

میرا کردار کیا ہے...... میں اِس وسیع گھر کا مالک ہوں اُور یہ نیم پاگل' میری واحد اُولاد ہے۔ مجھے خیال آتا ہے کہ بڑھاپا ایک سزا ہے...... گھسیٹا کی نسل ختم ہو رہی ہے...... میں اُس کی اُولاد ہوں...... میں نہیں چاہتا کہ دُنیا سے اِنسان کی اِس قسم کا' خاتمہ ہو جائے...... اگر یہ نسل ختم ہوگئی تو دُنیا نامکمل رہ جائے گی!

اِس گھر میں ہمیشہ اَندھیرا رہا ہے۔ یہ گھر شاید اِنسان کے ضمیر کی طرح ہے۔ اِنسان کچھ بھی نہیں...... اُس کے اَندر دماغ اُور ضمیر ہے...... دماغ مکمل طور سے دریافت نہیں ہوسکا اُور ضمیر مچھلی کی طرح ہے...... ہاتھ نہ آنے والا' کانٹوں اُور نرم گوشت کا ڈھیر!

''میں تمھیں ایک نام دینا چاہتا ہوں!''

وہ چونک کر میری طرف دیکھتا ہے۔ شاید میری طرح وہ بھی خیالوں میں کہیں دُور نکل گیا تھا۔

''کیوں؟''

''تا کہ تمھاری ایک شناخت ہو!''

''کیا یہ ضروری ہے؟''

''ہاں' بہت ضروری!''

''ٹھیک ہے مگر میری ایک شرط ہے کہ......''

وہ جملہ اَدھورا چھوڑ کر ہنستا ہے۔ مجھے پہلی مرتبہ اُس کی ہنسی میں مٹھاس کا احساس ہوتا ہے۔

''میرا نام عام سا نہ ہو!''

''کیا مطلب؟''

میں حیران ہو کر اُس کی طرف دیکھتا ہوں:

''سب نام عام سے ہوتے ہیں اُور کبھی عام نہیں ہوتے۔ بس یوں سمجھ لو کہ نام کسی شخص کی

پہچان ہے جو اُسے دُوسروں سے جدا کرتا ہے!''

وہ پھر ہنستا ہے۔

''میں تمھیں مختار کا نام دینا چاہتا ہوں!''

اُس کا قہقہہ گونج اُٹھتا ہے:

''میں ایک دم خود کو ہلکا محسوس کرنے لگا ہوں' جیسے منوں بوجھ میرے سر سے اُتر گیا ہو...... تم نے مجھے ایک گم نام ہستی سے نام والا بنا دیا ہے...... اِتنا بڑا کام اِتنی آسانی سے ہو گیا!''

وہ میری طرف جھک کر مجھے چوم لیتا ہے۔

مجھے مختار کا پُر جوش اِظہار پسند آتا ہے۔ اِس گھر میں ایسے جذبات کے اِظہار کا کوئی رواج نہیں تھا۔ یہاں سب لوگ چکر پورے کرنے کے چکر میں رہتے تھے۔ کسی کو اَپنے بارے میں یا مجموعی مستقبل کے سلسلے میں کوئی دِلچسپی نہیں تھی۔ مختار غالبًا پہلا آدمی ہے جو نہ صرف اِس چکر سے باہر نکلا ہے بلکہ اُس نے اِن چکروں کا سلسلہ ہی ختم کر دیا ہے۔ مہذب دُنیا میں آٹھ دس لوگوں کا قتل ایک جنونی شخص ہی کر سکتا ہے۔ اِس ٹبّے میں شاید یہ غیر اَہم بات ہے۔ گھسیٹا کے گھر کا ایک کمرہ ہڈیوں سے بھرا ہوا ہے۔ مجھے اَور مختار کو اِن ڈھانچوں کا بندوبست بھی کرنا ہے۔ مختار برسوں ذہنی دباؤ کا شکار رہا ہے' کیا وہ نفسیاتی طور پر اِتنا مضبوط ہو گا کہ اِس کام میں میرا ہاتھ بٹا سکے؟ میں بوڑھا آدمی ہوں۔ زِندگی کی خوف ناک جنگ میں' میں ہمیشہ ثابت قدم رہا ہوں؛ اِس گھر میں آنے کے بعد کم زور ہونا شروع ہو گیا تھا لیکن مختار کے رویے نے مجھے پھر سے جوان کر دیا ہے۔ میں گھسیٹا کو تفصیل سے نہیں جانتا...... اُس کے بارے میں میرا علم اُن باتوں تک محدود ہے جو مجھے مختار نے بتائیں۔ اِنسان لاکھوں سال کی منزلیں طے کرتے ہوئے یہاں تک پہنچا ہے۔ وہ ایک دُوسرے کو فنا کرتے ہوئے بھی اَپنی اَقدار کا محافظ ہے۔ اُس کی کوشش ہوتی ہے کہ باقی تمام دُنیا ختم ہو جائے' صرف اُس کا اَپنا ورثہ محفوظ رہے مگر مختار میں اِس دُور بیں سوچ کی اہلیت کہاں! وہ تو تنہائی اَور احساسِ جرم کا شکار ہے۔ وہ اَپنے جرم کو قبول تو نہیں کر رہا لیکن اُس کی سوچ اَور بدن کی

زبان‘ اِس بوجھ کو واضح طور سے آشکار کر رہی ہے...... شاید وہ میرا ساتھ نہ دے سکے!

اِنھیں سوچوں میں‘ میں بہت دُور نکل جاتا ہوں...... اِنسان ایک سماجی جانور ہونے کے باوجود اَکیلا ہے‘ اِکلاپے کے خوف نے اُسے دروں بیں بنا دیا ہے اَور اُس کے بروں بینی کے دعوے‘ ایک رنگیں غلاف کی طرح ہیں جس سے وہ اَپنے آپ کو ڈھانپ لیتا ہے۔ قدوس میرا غلاف تھا لیکن آج میں نے خود پر اَپنے رنگ کا غلاف چڑھا لیا ہے۔ میں قدوس تو ہوں لیکن گھسیٹا سے جدا نہیں...... گھسیٹا میرا ورثہ ہے اَور مجھے اِس دولت کی حفاظت کرنا ہے۔

مختار میری گود میں سر رکھ کر اَور گھٹنے اَپنے پیٹ کی طرف کھینچ کر‘ لیٹ گیا ہے۔ آج کی ملاقات‘ اُس کے کم زور جسم اَور تھکے ہوئے اَعصاب پر بھاری گزری ہے‘ اِس لیے میں اُسے مزید پیچیدگیوں میں ڈالنا نہیں چاہتا۔ میری کیفیت اُس روز کی طرح ہے جب میں قدوس کی معیت میں‘ میاں صاحب کے کارخانے کے باہر تھا: فرق صرف یہ ہے کہ میں کارخانے کے دروازے کے اَندر کا حال نہیں جانتا تھا؛ میں ایسی جگہ پر تھا جس سے میری شناسائی نہیں تھی...... آج میں اُس دروازے کے اَندر ہوں جس کے متعلق مجھے کچھ جاننے کی ضرورت نہیں لیکن اِس کے باوجود میں اُسی بے یقینی کی کیفیت میں ہوں۔ اُس وقت مجھے آگاہی نہ ہونے کے باعث‘ ہر چیز کا خوف تھا اَور میں سہارے کے لیے گھر کو یاد کر رہا تھا‘ آج میں متعدد چیزوں سے آگاہی کے باوجود‘ اَپنے اعتماد کو بحال رکھنے کے لیے‘ کارخانے کے دروازے کے اَندر اَپنی کامیابیوں کو یاد کر رہا ہوں۔ میں ایک مجرم کی طرح یہاں آیا تھا جو ایک مرتبہ جائے واردات کا چکر ضرور لگاتا ہے مگر یہاں آ کر اِنکشاف ہوا کہ میں مجرم نہیں ہوں اَور جو کچھ میں نے کیا‘ وہ مجھ سے پہلے کسی اَور کو کر لینا چاہیے تھا...... شاید کسی کے پاس مستقبل میں جھانک لینے کی اہلیت ہی نہیں تھی۔ مختار مجھے حال میں رکھنا چاہتا ہے کیونکہ اُس نے اَپنی عمر حال میں گزاری ہے اَور اُس کا ماضی بھی اُس کے حال کا حصہ ہے۔ اِس وقت میرا حال‘ میرے ماضی سے منسلک ہے اَور مجھے اِسے پھلانگ کر مستقبل میں جانا ہے۔ کیا میں اِس کا متحمل ہو سکوں گا؟ مجھے لگتا ہے کہ میں ایک ایسی تنگ سرنگ میں سے گزر رہا ہوں جو

میرے کندھوں کو زخمی کر دے گی...... میرے کندھے اگر واقعی زخمی ہو گئے تو مستقبل کا بوجھ کون اُٹھائے گا! میں وقت کو اَپنی مٹھی میں بند کر لینا چاہتا ہوں۔ مجھے یک دم محسوس ہوتا ہے کہ میں نے وقت کو اَپنی مٹھی میں بند کر لیا ہے۔ میں اَپنے ہاتھوں کی طرف دیکھتا ہوں تو کھچاؤ کی وجہ سے میری مٹھیاں بھنچی ہوئی ہیں۔ میں اِنھیں کھول دیتا ہوں۔ مجھے لگتا ہے کہ وقت میرے ہاتھ سے' کبوتر کی طرح اُڑ گیا ہے۔ میں جلدی سے دُوسری مٹھی بند کر لیتا ہوں۔ دُوسرے کبوتر کو تو ایک منصوبے کے تحت پہلے ہی اُڑا دیا گیا تھا لیکن میری تو وقت کے ساتھ ٹھنی ہوئی ہے جو اَپنی عادت سے مجبور ہے جبکہ مجھے اَپنا دفاع مکمل رکھنا ہے!

یہ گھر اَپنے حصے کی زِندگی گزار چکا ہے۔ یہ اُس تاریخ کا حصہ ہے جو اِس کے لیے کسی اَور نے لکھی تھی اَور جسے یہ نبھا نہیں سکا۔ تاریخ وہی نبھائی جا سکتی ہے جسے خود لکھا گیا ہو' جسے تشکیل نہ کیا گیا ہو۔ تشکیل شدہ تاریخ میں منافقت ہوتی ہے؛ یہی وجہ ہے کہ میں منافق تھا۔ اِس گھر کی تاریخ کا اَہم ترین حصہ مختار نے نبھایا' وہی اِسے تحریر کرے گا مگر آغاز کرنے سے پہلے اُس کا تازہ دم ہونا ضروری ہے۔ میں نہیں چاہتا کہ وہ ڈرائیور کے کھانا لانے سے پہلے جاگ جائے!

میں ذہنی طور پر غیر متحرک ہی رہا ہوں۔ قدوس اَور میاں صاحب کو سیڑھی بنا کر کامیابی حاصل کرنے کو تحرک نہیں کہا جا سکتا۔ شاید میں متحرک تھا لیکن میرے پاس مستقبل کے لیے کوئی عزائم نہیں تھے۔ ذہن میں کسی برائی یا بدی کے پیدا ہونے کو' اُس کا جنم قرار نہیں دیا جا سکتا کیونکہ بدی یا برائی تو سوچ میں پہلے سے موجود ہوتی ہے۔ میں اپنے پس منظر کی غلاظت میں لتھڑا ہونے کے باعث' ہر کسی کو نقصان پہنچانے پر تلا رہا۔ میں یقیناً غیر متحرک تھا' اِسی لیے زِندگی میں میرے کوئی عزائم نہیں تھے۔ میرے اَندر بدی کوٹ کوٹ کر بھری ہوئی تھی۔ میں لوگوں کو نقصان پہنچانے کے درپے تھا۔ میں جب پیدا ہوا' ہر نوزائیدہ بچے کی طرح معصوم تھا۔ معصومیت بھی غیر متحرک ہی ہوتی ہے۔ میں نے پیدا ہوتے ہی رونا شروع کر دیا تھا: اِسے رونا کہنا غلط ہے' یہ تو اِرتکاز کا عمل تھا۔ اِس رونے نے میرے اَندر کی معصومیت کو ختم کر دیا۔ میرے در و دیوار سے بدی ٹپک رہی تھی جو میرے

اَندر کے خلا میں سما گئی اَور میرا وجود اَور بدی، دونوں ایک دُوسرے کی حفاظت کرتے ہوئے، عمر بھر آگے ہی آگے بڑھتے رہے۔ مختار سے ملاقات سے پہلے تک میں غیر متحرک تھا۔ اُس نے اچانک مجھے متحرک کر دیا ہے۔ میرے ذہن میں ایک خاکہ بن رہا ہے...... زِندگی، موت کی طرف بڑھتی ہے اَور موت ایک اذیت ہے: میں اِس عمل کو روکنا چاہتا ہوں۔ مگر کیا اِسے کوئی روک سکا ہے...... کیا مجھ میں اِسے روکنے کی صلاحیت موجود ہے؟ میں نے پڑھا تھا کہ پیدائش، غم ہے اَور ہر سبب کا باعث، کوئی اَور سبب ہوتا ہے۔ اگر پیدائش غم ہے تو موت اذیت کیوں ہے؟ موت بھی ایک غم ہے۔ میں اِس غم سے کیسے نجات حاصل کر سکتا ہوں...... مجھے ایک ہی جواب سوجھتا ہے کہ موت کے خوف سے چھٹکارا حاصل کر کے!

صدر دروازے پر دستک ہوتی ہے تو میں اِن خیالات سے باہر نکلتا ہوں۔ مختار اُسی طرح میری گود میں سَر رکھے لیٹا ہوا ہے۔ میں نہایت احتیاط سے اُس کا سر اُٹھا کر فرش پر رکھتا ہوں اَور صدر دروازے کی طرف چلنا شروع کر دیتا ہوں۔ سروٹ میرے سامنے بے جان سے کھڑے گھر کے پُر اَسرار ماحول کا حصہ ہیں، میں اُن میں سے گزرتا ہوں تو مجھے خوف کا احساس ہوتا ہے...... ایسے لگتا ہے کہ وہ زِندہ ہیں اَور مجھ سے کوئی سوال کر دیں گے...... میں اُن میں سے تیزی سے گزر جاتا ہوں!

ڈرائیور خود سیر ہو کر آیا ہے اَور پلاسٹک کے دو تھیلوں میں ہمارے لیے کھانا اَور پانی کی بوتلیں لے آیا ہے۔ ایک کھیس نما چادر بھی اُس کے پاس ہے۔ میں چادر کو کندھے پر رکھ لیتا ہوں اَور تھیلے ہاتھوں میں لیے ایک بار پھر سروٹوں میں سے گزرتا ہوں۔ اِس مرتبہ مجھے خوف محسوس نہیں ہوتا اَور میں اعتماد کے ساتھ اُن میں سے گزر جاتا ہوں۔

مختار اُسی طرح لیٹا ہوا ہے۔ میں اُسے چادر سے ڈھانپ دیتا ہوں اَور اُس کے جاگنے کے اِنتظار میں بیٹھ جاتا ہوں۔

O

کسی خوب صورت چیز کو دیکھتے ہی اُس کے سحر میں گرفتار ہو جانا اور پھر اُسے حاصل کرنے کی کوشش کرنا، قدرتی امر ہے۔ میں ایسے لوگوں کو جانتا ہوں جو کسی عورت کا قرب حاصل کرنے یا اُسے پانے کے لیے، مال و زر لٹانے سے قطعاً دریغ نہیں کرتے۔ لاہور اور یورپ میں، کئی خوب صورت عورتوں سے میری ملاقات ہوئی اور میں نے اپنی آنکھوں سے حسنِ دل آرا کا نظارہ بھی کیا مگر مجھے ہر نظارہ، معمول کا حصہ ہونے کے ساتھ ساتھ غیر اہم بھی لگا: مجھے ہر چیز، دُوسری شے سے مختلف نظر آئی اور میں کوشش کے باوجود اُن میں کوئی کشش محسوس نہ کر سکا۔ شاید میری آنکھ، خوب صورتی کو دیکھنے اور سمجھنے سے قاصر تھی۔ ایسی چیزوں کی پرکھ، میری سوچ کے نظام میں شامل نہیں تھی۔ یہ کام میں جبھی انجام دے سکتا تھا اگر میرا باطن خوب صورت ہوتا۔ میرے لیے ہر خوب صورت شے، بدصورتی کا پیکر تھی اور آپ سمجھ سکتے ہیں کہ میرے نزدیک کسی بدصورت چیز کی کیا حیثیت ہوگی! یہ گھر، ایک بدصورت شے ہے: میں اِسے ختم کر دینا چاہتا ہوں...... اِسے خوب صورت بنانے کے لیے، اِس کی بدصورتی کو جڑ سے اُکھاڑنا ہوگا مگر یہ کام اُس وقت تک نہیں ہو سکتا جب تک کہ میں اپنے اندر کی خوب صورتی کا سراغ نہ لگا لوں۔ گھر اور مختار، اِس وقت میری سوچ کا حصہ ہیں اور میں اِن دونوں کو اپنا مستقبل سمجھتا ہوں۔ مختار کو جگا کر میں اپنے ساتھ شامل کرنا چاہتا ہوں۔ خوابیدہ مختار مجھے اُن بے کار آدمیوں کی طرح لگتا ہے جو علم حاصل کرنے کے بعد مر جاتے ہیں۔ مختار سے مل کر مجھے موت کو شکست دینا ہے۔

میں مختار کو جگاتا ہوں۔ وہ گھبرا کے اُٹھتا ہے۔ مجھے اَیسے لگتا ہے کہ وہ مجھے بھول چکا ہے: پہلے وہ مجھے دیکھتے ہی خوف زدہ ہو جاتا ہے مگر پھر قہقہہ لگاتا ہے۔ اُس کے قہقہے میں مجھے زِندگی نظر آتی ہے: میں مطمئن ہو جاتا ہوں۔

وہ لمبے لمبے سانس لیتا ہے:

''شاید میں یہ پہلی مرتبہ سونگھ رہا ہوں!''

وہ پھر قہقہہ لگاتا ہے۔

''میرے پیٹ میں عجیب قسم کے مروڑ اُٹھ رہے ہیں۔''

میں اُس کی کیفیت کو بھانپتے ہوئے پلاسٹک کا تھیلا کھول کر سالن اَور روٹیاں باہر نکالتا ہوں۔ مختار کھانے پر ٹوٹ پڑتا ہے...... کھانے کی یہ چیزیں شاید اُس کے ذہن سے محو ہو چکی ہیں۔ اُس کی سمجھ میں نہیں آ رہا کہ ثابت روٹی کو سالن میں بھگوئے یا لقمے بنا کر کھائے...... یہ بھوک کی شدت کا اَثر بھی ہو سکتا ہے!

''بھوک رکھ کر کھانا!''

''جانتا ہوں، جانتا ہوں...... پہلی مرتبہ ہے!''

وہ لمبا سانس لے کر پھر ہنسنا شروع کر دیتا ہے:

''میں مرتے دم تک کھائے چلا جانا چاہتا ہوں لیکن......''

وہ پھر ہنستا ہے:

''میں کھاتے ہوئے مرنا نہیں چاہتا!''

میں اُس کی ہنسی سے لطف اَندوز ہوتا ہوں لیکن مجھے تھوڑی سی پریشانی بھی ہے...... ہنسی میں مجھے دیوانگی کا عکس نظر آتا ہے۔ میں اُسے ذہنی طور پر متوازن رکھنے کا خواہش مند ہوں۔

مجھے بھی بھوک کا احساس ہوتا ہے۔ میں لقمہ لے کر چبانا شروع کرتا ہوں۔

''میں پہلی مرتبہ کسی کے ساتھ مل کر کھانا کھا رہا ہوں۔''

اُسے میری مسکراہٹ نظر نہیں آتی۔

''ایک وہ وقت کہ زِندہ رہنے کے لیے اپنا ہی خون چوسنے کی کوشش کرنا اور ایک یہ وقت کہ بھوک رکھ کر کھانا!''

وہ میرے ساتھ ٹیک لگا کر ایک لمبا سانس لیتا ہے۔

''تھوڑی دیر جاگتے رہو!''

میں پیار سے کہتا ہوں۔

''جاگ رہا ہوں!''

اُس کی آواز میں اطمینان ہے۔

میں دُوسرا لقمہ لیتا ہوں:

''تمباکو پیو گے؟''

''مجھے بوڑھی عورت کا پان دان یاد آ گیا ہے۔''

وہ ہنستے ہوئے سیدھے ہو کر بیٹھ جاتا ہے۔

''اُس کا پان دان سلامت تھا؟''

میں پوچھتا ہوں۔

''ہاں، کمرے میں ہونا چاہیے!''

''کمال ہے!''

نہ جانے کیوں، میں بھی ہنسنا شروع کر دیتا ہوں!

وہ عورت جس کی موجودگی میں ہر کوئی خائف رہتا تھا، آج ہمیں غیر اَہم لگ رہی ہے اور ہم اُس کا مذاق اُڑا رہے ہیں!

O

سرِوٹوں میں سرسراہٹ ہوتی ہے اَور ہم دونوں کی نظریں اُس طرف اُٹھ جاتی ہیں: میں دیکھتے ہی سکتے میں آجاتا ہوں، مجھ پر خوف طاری ہو جاتا ہے۔ میں جو کچھ دیکھ رہا ہوں، وہ ناقابلِ یقین ہے۔ میں مختار کی طرف دیکھتا ہوں۔ مجھے لگتا ہے کہ میں نے اُسے چھوا تو وہ فرش پر گر جائے گا۔

دو سروٹوں کے درمیان، دو انسان نما پیکر ہیں جو مکمل انسان نہیں لگ رہے...... اُن میں سے ایک، اکڑوں بیٹھا ہے: غالباً وہ مَرد ہے کیوں کہ اُس کے ڈاڑھی نظر آرہی ہے؛ دُوسرا، کسی جانور کی طرح چار ٹانگوں پر ہے اَور ڈاڑھی کے بغیر ہے۔ میں اُن دونوں کی طرف غور سے دیکھے جارہا ہوں۔ وہ بہت ہی آہستگی سے رینگتے ہوئے، ہماری طرف بڑھ رہے ہیں۔ اُن کے پیچھے پیچھے بطخیں ہیں جو گردن لمبی کرکے آگے بڑھ رہی ہیں...... اُن کے اَطوار میں مجھے جارحیت کا شائبہ نظر آتا ہے۔

میں ایک دفعہ پھر مختار کی طرف دیکھتا ہوں۔ وہ اُن دونوں کو دیکھنے میں محو ہے۔ میں اُس کے چہرے کے تاثرات اچھی طرح پڑھ نہیں سکتا لیکن اُس کے اَنداز میں مجھے دِلچسپی کا احساس ہوتا ہے۔ اَب وہ میری طرف دیکھتا ہے:

''میرا خیال ہے کہ میں اِن لوگوں کو جانتا ہوں!''

میں اُسے حیرت سے دیکھنا شروع کر دیتا ہوں۔

''میرا بیٹا اَور اُس کے لیے خصوصی طور پر لائی گئی لڑکی!''

حالات میری گرفت سے باہر ہو جاتے ہیں۔ میں خاموشی کو ترجیح دیتا ہوں۔

وہ دونوں، ہمارے قریب پہنچ جاتے ہیں۔ درحقیقت، وہ مرد اور عورت ہیں۔ عورت، مرد کی اوٹ میں بیٹھ جاتی ہے اور اُس کے کندھے پر ٹھوڑی رکھ کر ہماری طرف دیکھنا شروع کر دیتی ہے۔ بطخیں، اُن کے برابر آ کر رُک گئی ہیں اور گردن لمبی کر کے ہمیں ڈرانے کی کوشش کر رہی ہیں۔

میں جانور نما پوتے کی طرف دیکھے جا رہا ہوں۔ مختار کو دیکھتے ہی میرے اندر پیار کا ایک دریا اُبل پڑا تھا۔ اُس کے بیٹے سے مجھے گِھن آ رہی ہے۔ وہ دونوں عجیب نظروں سے ہماری طرف دیکھ رہے ہیں۔ کم روشنی کے باعث، اُن کے تاثرات جاننا مشکل ہے لیکن ایسا لگتا ہے کہ ہم چاروں ہی کسی اُلجھن کا شکار ہیں۔ غالباً اُن دونوں کو توقع نہیں تھی کہ یہاں کوئی اور بھی ہو سکتا ہے...... اُن کی پریشانی، قدرتی امر ہے کیونکہ مختار کمروں میں بند رہا ہے اور میں آج ہی یہاں آیا ہوں!

میں اپنے حواس پر قابو پالیتا ہوں اور مجھے، تھوڑی دیر پہلے کے احساس کے بجائے، مختار کے بیٹے سے ہم دردی ہونے لگتی ہے۔ اَب وہ مجھے جانور یا کوئی اور مخلوق نہیں لگ رہا؛ اپنا سا لگ رہا ہے مگر خاندان کے مسائل اور اُن کا حل مزید پیچیدہ ہوتے محسوس ہونے لگا ہے۔

یہ لڑکی کون ہے؟ کہیں ایسا تو نہیں کہ مختار کے لیے بھی دو یا تین عورتیں لائی گئی ہوں اور یہ مختار ہی کی بیٹی ہو!...... میں ایسے ہی خیالات میں گم ہوں کہ وہ عورت اچانک اپنی جگہ تبدیل کر کے، میرے سامنے آ جاتی ہے۔ وہ ماں بننے والی ہے...... اگر وہ مختار کی بیٹی ہوئی تو؟...... کیا اُن کے اور بھی بچے ہیں...... ہو سکتا ہے کہ طبی سہولتوں کی نایابی کی وجہ سے اِن کے بچے مر جاتے ہوں...... کیا اِس بچے کو پیدا ہونا چاہیے!

مختار میرے خیالات کے تانے بانے کو توڑ دیتا ہے:

''یہ میرا بیٹا ہی ہو سکتا ہے!''

''کیسے؟''

میں بمشکل بول پاتا ہوں۔

''بوڑھی عورت جانتی تھی کہ میں اُسے اَور دُوسری عورتوں کو قتل کر دوں گا۔ اُس نے گھسیٹا کی نسل کا تسلسل برقرار رکھنے کے لیے' میرے بیٹے کے لیے اِس لڑکی کا بندوبست کیا۔''

''تم کیسے کہہ سکتے ہو کہ یہ تمھاری بیٹی نہیں...... عین ممکن ہے کہ یہ دونوں بہن بھائی' میاں بیوی کی طرح زِندگی گزار رہے ہوں!''

''میرے لیے چند دِنوں کے لیے ایک ہی عورت آئی تھی؛ سو یہ اُس میں سے نہیں ہو سکتی۔''

مجھے اُس کے جواب میں معقولیت نظر آتی ہے:

''بوڑھی عورت کا کوئی اَپنا مفاد تو نہیں تھا؟''

''اگر اَیسا ہوتا تو وہ میرے بیٹے کو پیدا ہوتے ہی مروا دیتی۔ اُسے گھسیٹا کی نسل کے چلتے رہنے میں دِلچسپی تھی۔''

میں خیال ہی خیال میں بوڑھی عورت کو گاؤ تکیے کے ساتھ ٹیک لگائے دیکھتا ہوں۔ یقیناً اُس نے اَپنے قتل سے پہلے اس گھر کی سلامتی کا اِقدام کر لیا تھا۔ میں سوچ میں پڑ جاتا ہوں: وہ اِس گھر سے واقعی وفاداری نبھا رہی تھی یا وہ کسی روایتی داستاں کا کردار تھی جسے اَپنا حصہ اَدا کرنا تھا!...... میرے فرار کی وجہ وہی بنی تھی مگر اَب مجھے اُس سے ہم دردی ہونے لگتی ہے۔

''مرنے سے پہلے میری سوتیلی بہن نے مجھے بتایا تھا کہ یہ دونوں' رات کے وقت تہ خانے سے نکل کر سرکنڈوں میں آ جاتے ہیں۔''

میں خاموش رہتا ہوں۔ کبھی میرا ذہن' جالوں سے بھر جاتا ہے اَور کبھی بارِش کے بعد کی فضا کی طرح صاف ہو جاتا ہے۔ میری دو نسلیں میرے پاس ہیں مگر دونوں اِس دُنیا کا حصہ نہیں ہیں۔ مجھے اِن دونوں نسلوں کو اِس دُنیا میں واپس لانا ہے اَور میرے پاس صرف ایک رات کا وقت ہے...... اِمکانات محدود ہیں' اِس لیے ہر لمحہ قیمتی ہے!

مجھے اَپنے بڑھاپے پر ترس آتا ہے۔

مختار کے بیٹے اَور اُس لڑکی کے لمبے لمبے سانسوں سے اُن کی بے چینی ٹپک رہی ہے۔ میں

وجہ جاننا چاہتا ہوں:

''اِن سے کوئی بات کرو...... مجھے یہ دونوں بے چین لگ رہے ہیں!''

''یہ بھوکے ہیں۔ کھانے کی خوشبو نے اِنھیں بے چین کر دیا ہے۔''

میں سمجھ جاتا ہوں کہ گھاس، سرکنڈے اَور گھر میں اُگنے والی جڑی بوٹیاں، اِن کی خوراک کا حصہ رہی ہیں۔ میرا دِل، اِن کے لیے، ہمدردی سے بھر جاتا ہے۔

میں ایک چپاتی پر سالن ڈال کر، اُن کی طرف بڑھاتا ہوں۔ وہ دونوں اَپنی اَپنی جگہ سے نہیں ملتے مگر بطخیں، گردن لمبی کرتی ہیں اَور شور مچاتے ہوئے روٹی کی طرف بڑھتی ہیں۔ مختار کا بیٹا اَپنے گلے سے ایک آواز نکالتا ہے...... یہ آواز، بے چینی کے بجائے، ایک حکم کا درجہ رکھتی ہے۔ عورت، اُس حکم کے جواب میں فوراً بطخوں پر جھپٹتی ہے؛ بطخیں اَپنی ترتیب توڑ کر تِتر بتر ہو جاتی ہیں۔

اَب عورت، اَپنے گلے سے ایک آواز نکالتی ہے۔ یہ آواز مختار کے بیٹے کی آواز سے مختلف ہے۔ مجھے لگتا ہے کہ وہ اِلتجا کر رہی ہے۔ مختار کا بیٹا ایک نئی طرز کی آواز نکالتا ہے؛ عورت کمال پھُرتی سے، روٹی جھپٹ لیتی ہے اَور اُسے تھما دیتی ہے۔

''اِن دونوں کا کسی کے ساتھ کبھی رابطہ نہیں رہا: غالباً اِنھوں نے اپنی زبان اِیجاد کر لی ہے!'' مجھے مختار کی آواز آتی ہے۔

میں زِندگی کے طریقِ کار اَور زِندہ رہنے کے اُصولوں سے واقف ہوں۔ یہ دونوں جس قسم کے حالات میں زِندہ ہیں، اِنھیں شکست دینا، ناممکن ہے۔ اَب میں اُن کی طرف نئی دِلچسپی سے دیکھتا ہوں: مجھے لگتا ہے کہ وہ میری نسل سے نہیں ہیں...... میں اُن کی نسل میں سے ہوں!

مرد، اُسی طرح اکڑوں بیٹھا ہے اَور عورت اپنے ہاتھ سے اُسے کھلا رہی ہے۔ مرد، گلے سے مختلف قسم کی آوازیں نکال کر اَحکام جاری کر رہا ہے اَور عورت، کبھی اُسے کھلاتی ہے، کبھی بطخوں کو ڈراتی ہے اَور کبھی میری طرف دیکھ کر چپاتی کا تقاضا کرتی ہے۔ میں سالم چپاتی کے بجائے، آدھی آدھی چپاتی سالن میں بھگو کر دیتا ہوں جسے وہ فوراً مرد کو کھلانا شروع کر دیتی ہے مگر جونہی ایک آدھ

لقمہ اَپنے منہ میں ڈالتی ہے؛ وہ ناپسندیدگی سے اُس کی طرف دیکھتے ہوئے غراتا ہے۔

میں محسوس کرتا ہوں کہ اُنھوں نے جو ڈھب اَپنا رکھا ہے' اُس میں جنسی ناہمواری موجود ہے۔ مرد صرف حکم دے رہا ہے جسے عورت' کم زور ہونے کے ناتے' پورا کرنے کی عادی ہے۔ میں ڈھکنا کھول کر' پانی کی بوتل عورت کی طرف بڑھاتا ہوں؛ وہ مرد کی طرف دیکھتی ہے؛ مرد گلے سے ایک گھٹی ہوئی سی آواز نکالتا ہے؛ عورت بوتل کو پکڑ کر دیکھتی ہے اَور کچھ آوازیں نکالتی ہے؛ مرد اُس کے ہاتھ سے بوتل چھین لیتا ہے اَور چوسنے کی کوشش کرتا ہے۔ میں اُنھیں ترکیب بتانے کی غرض سے' اپنی بوتل کو منہ لگا کر پانی پینے لگتا ہوں؛ وہ میری نقل کرتے ہیں۔

میں اِشارے سے اُنھیں پاس بلاتا ہوں۔ مرد ہچکچاتا ہے لیکن عورت کچھ کہتی ہے۔ پھر وہ جھجکتے ہوئے ہمارے پاس آجاتے ہیں' دونوں کی حالت قابلِ رحم ہے...... اُن کی زبان میں اَلفاظ موجود نہیں' صرف چند گھٹی ہوئی آوازیں ہیں جن کی رمزیں وہی سمجھ سکتے ہیں۔ میرا باپ بھی' ہم دونوں کی طرح مجبور تھا لیکن میرے باپ کے پاس اَلفاظ موجود تھے اَور ہم دونوں بھی بات کر سکتے ہیں۔ یہ دونوں اُس خالی صفحے کے مانند ہیں جس پر لکھنے والے قلم کا نِب ٹوٹ چکا ہے۔ بے بسی' اِنتہا کو پہنچ چکی ہے...... یہ بالکل نوزائیدہ بچوں کی طرح ہیں جنھیں پالنا میرا فرض بنتا ہے مگر اِس سلسلے میں میرا کوئی تجربہ نہیں۔ یہ خود بھی والدین بننے والے ہیں اور اِن کا بچہ بھی حرامی ہوگا۔ آج میں نے صدر دروازہ بند نہ کر کے' اِس گھر پر جمی روایت کو کھرچ ڈالا ہے...... مجھے اِن کے نکاح کا بندوبست کرنا ہے تاکہ بچہ حرامی نہ کہلوائے۔ مجھے گوتم بدھ کا قول یاد آجاتا ہے کہ زِندگی میں ایک مقام ایسا بھی آتا ہے جب کُوچ اَور قیام' بے معنی ہو جاتے ہیں۔ یہ گھر اَپنی زِندگی پوری کر چکا ہے...... اِسے منہدم کر کے' یہاں نئی عمارت تعمیر کرنا ہوگی اَور اُسے ایسے روشن گھر میں تبدیل کرنا ہوگا جس میں زِندگی رواں دواں ہو؛ مگر کیا اِس گھر کے گرائے جانے کے بعد' اِس کی تاریخ بھی مٹ جائے گی؟...... یہ تاریخ تو اُس وقت تک زِندہ رہے گی جب تک اِس کے باسی زِندہ ہیں...... ہڈیوں والے کمرے کا کیا ہوگا!...... مختار کے پوتے یا پوتی کی پیدائش کے بعد تو یہ گھر ایک قصہ بن

جائے گا۔ پھر مجھے خیال آتا ہے کہ اِن کے بچے کو جائز بنانے کا عمل تو ایک شعوری کوشش کا نتیجہ ہوگا اَور تاریخ تو اَپنا راستہ خود بناتی ہے...... کیا تاریخ ماضی ہے...... اگر یہ ماضی ہے تو حال اِس کا حصہ نہیں اَور حال، ماضی کے عکس کے بغیر مکمل نہیں ہوتا۔ مجھے تاریخ کو حال تک لانا ہوگا مگر یہ عمل تاریخ کے بجائے ایک خبر کے سوا کچھ بھی نہ ہوگا۔ میں اِس گھر کو اِس لیے ملیامیٹ کرنا چاہتا ہوں کہ میری نظر مستقبل پر ہے۔ اگر میں حال میں زِندہ ہوں تو مستقبل، حال پر تعمیر ہوگا کیوں کہ مستقبل، حال سے جڑا ہوتا ہے۔ کیا میں حال میں زِندہ ہوں؟...... نہیں!...... میں تو ماضی میں رہ رہا ہوں...... نیا گھر بھی ماضی ہی کا حصہ ہوگا...... مجھے ماضی سے نکل کر حال میں آنا ہے مگر کیا حال کا سایہ، ماضی اَور مستقبل دونوں پر نہیں ہوگا؟...... ضرور ہوگا کیوں کہ ماضی تو میرے اَندر ہے!

''تمھیں یہ کیسے لگ رہے ہیں؟''

مختار کا اِشارہ اُن دونوں کی طرف ہے۔

''اپنے لگ رہے ہیں۔''

وہ ہنستا ہے:

''ایک بات بتاؤں؟''

''کہو!''

''مجھے بالکل اپنے نہیں لگ رہے۔''

''کیوں؟''

''میں آگے بڑھنا چاہتا ہوں مگر یہ رُکاوٹ بن جائیں گے۔''

''تو پھر تم کیا کرو گے؟''

''اِنھیں نظر اَنداز کر کے، آگے بڑھ جاؤں گا!''

''ٹھیک ہے۔ تم آگے بڑھو، میں اِنھیں سنبھال لوں گا!''

وہ دونوں ہماری طرف دیکھ رہے ہیں۔ مجھے بچے پالنے کا تجربہ تو نہیں مگر شاید اَب اِس کام کا

آغاز ہو جائے!

مختار آگے بڑھنا چاہتا ہے؛ اُس کی نظر مستقبل پر ہے...... کیا میں اُسے روک کر ماضی کے ساتھ جوڑے رکھوں؟...... اُس کا بیٹا اَور یہ عورت بھی مستقبل ہیں...... مختار اگر چلا جاتا ہے تو میں اِن دونوں کو بھی اِس قابل بنا دوں گا کہ یہ بھی چلے جائیں۔

کیا اِس گھر کا اِنہدام ضروری ہے!...... مختار کے چلے جانے کے بعد اگر میں بوڑھی عورت کے کمرے میں رہنے لگوں تو پھر کیا ہوگا!...... کچھ بھی نہیں: صرف اِن کا بچّہ حرامی ہوگا مگر افزائشِ نسل کے لیے اَب یہاں رنڈیاں نہیں آیا کریں گی...... دُنیا سے اِنسان کی یہ قسم ختم ہو جائے گی...... کیا میں جواب دہی کا متحمل ہو سکوں گا؟

''تم کیا کرو گے؟''

میں مختار سے پوچھتا ہوں۔

''میں نے جب دروازے سے باہر دیکھا تھا تو میری نظر کی کوئی حد نہیں تھی۔ مجھے ایک وسعت کا احساس ہوا تھا۔ میں اُس وسعت میں کھو کر، اُس کا حصہ بننا چاہتا ہوں!''

''گم تو نہیں ہو جاؤ گے؟''

''کیا تم گم ہو گئے تھے؟''

''مجھے قدوس اَور میاں صاحب مل گئے تھے۔''

''میں ایک نام لے کر جا رہا ہوں۔''

''میں نے نام بنایا تھا...... کب جاؤ گے؟''

وہ ہنستا ہے:

''تمھارا اَندازہ کیا ہے؟''

میں اَپنے آپ کو بے بس محسوس کرتے ہوئے کوئی جواب نہیں دیتا۔

''اگر میں کہوں کہ ابھی......!

اُس کی آواز میں اِرادے کی پختگی ہے۔

''میں روکوں گا نہیں مگر تم جانے کی حالت میں نہیں ہو!''

میرا اشارہ اُس کی بے لباسی کی طرف ہے۔

''جب تم گئے تھے، تمھارا لباس کیا تھا؟''

''میں اپنے باپ کا لباس پہنے ہوئے تھا۔''

وہ ہنستا ہے:

''میں بھی اپنے باپ کا لباس پہن کے جاؤں گا۔''

میں یک دم مختار کے بیٹے اَور اُس عورت کی طرف دیکھتا ہوں۔ وہ دونوں سیر ہو کر کھانے کے بعد گہری نیند سوئے ہوئے ہیں......عورت' اپنے مرد کی ران کو تکیہ بنائے ہوئے ہے۔

میں پتلون قمیص اُتار کر زیرِ جامہ پر رُک جاتا ہوں۔ مختار میرا لباس پہن لیتا ہے۔ میں اُسے موزے اَور جوتا بھی دے دیتا ہوں۔ میرا لباس اُس کے بدن پر ہے اَور وہ اَب جانے کے لیے تیار ہے۔ میں اُس کے بیٹے اَور اُس عورت کی طرح برہنہ ہو گیا ہوں!

''ڈرائیور تمھیں لے جائے گا۔''

میں اُسے بلاتا ہوں۔

''نہیں! میں پیدل جاؤں گا...... مجھے راستہ سمجھا دو!''

''یہاں سے نہر اَور پھر اُس کی پٹڑی پر دائیں ہاتھ یعنی شمال کی طرف چل پڑنا۔ تم حافظ آباد گوجرانوالہ سڑک پر پہنچ جاؤ گے۔ وہاں سے دائیں یعنی مشرق کی طرف گوجرانوالہ اَور مخالف سمت میں حافظ آباد ہے۔ باہر نکلتے ہی صدر دروازہ بند کر دینا اَور ڈرائیور کو بتاتے جانا کہ وہ اَب ہمیشہ کے لیے فارغ ہے!''

مختار اپنے بیٹے اَور اُس عورت کو دیکھتے ہوئے پل بھر ہچکچاتا ہے اَور پھر دونوں کو چھو کر مجھ سے گلے ملتا ہے۔ میں تھوڑی دیر کے لیے اُسے ساتھ چمٹائے رکھتا ہوں اَور پھر پرے دھکیل دیتا ہوں۔

وہ مجھ سے الگ ہو کر صدر دروازے کی طرف چل پڑتا ہے۔

میں آنکھیں بند کرلیتا ہوں۔ اُسی لمحے مجھے محسوس ہوتا ہے کہ میں لافانی ہوگیا ہوں۔ میں بے کار سی زِندگی جیا لیکن میرا بیٹا ایک کارآمد زِندگی گزارے گا۔ اُس کی واپسی پر میں تو نہیں ہوں گا لیکن اُس کے پوتے پوتیاں اَور بہوئیں ہنسی خوشی یہاں جی رہے ہوں گے۔ مجھے ہر چیز مصنوعی لگ رہی ہے' یہاں تک کہ صدر دروازے سے باہر' کار کے سٹارٹ ہونے کی آواز بھی!...... میں کیا ہوں...... مٹی اَور ہوا سے بنا ہوا ایک پُتلا جو کارآمد ثابت ہوا ہے۔ میرا بیٹا گھر سے باہر کی دُنیا کا حصہ بننے کے لیے روانہ ہوگیا ہے مگر مجھے یقین ہے کہ وہ واپس ضرور آئے گا!

میں آنکھیں کھولتا ہوں...... دیوار کے اُس طرف اندھیرا' روشنی میں تبدیل ہو رہا ہے...... میں اپنے قدموں میں خوابیدہ جوڑے کو جگانے کے لیے جھکتا ہوں......!!